El error

Literatura Mondadori, 443

El error

CÉSAR AIRA

MONDADORI

Barcelona, 2010

© 2010, César Aira
© 2010, de la presente edición en castellano para todo el mundo:
   Random House Mondadori, S. A.
   Travessera de Gràcia, 47-49. 08021 Barcelona
Primera edición: octubre de 2010
Printed in Spain – Impreso en España
ISBN: 978-84-397-2321-9
Depósito legal: B-33.891-2010
Fotocomposición: Fotocomp/4, S. A.
Impreso en Limpergraf
Pol. Ind. Can Salvatella
c/ Mogoda, 29-31
08210 Barberà del Vallès

Encuadernado en Encuadernaciones Bronco

GM 2 3 2 1 9

Había una sola puerta, con un cartel encima que decía: ERROR. Por ahí salí. No era como en los restaurantes o en los cines, donde hay dos puertas vecinas, una de «Damas» y otra de «Caballeros», y uno elije la que le corresponde. Aquí había una sola. No había elección. No sé qué palabra debería haber tenido la otra puerta, cuál habría sido la alternativa de «error», pero no importa porque de todos modos no había más que una. Y no estoy seguro de que yo hubiera elegido la otra, en caso de que la hubiera. Sea como sea, tengo esa justificación: que era la única puerta para salir, la que decía «error». Y yo tenía que salir…

Salí a un jardín formal, que se extendía hasta perderse de vista. Por el camino central A. se alejaba, sin esperarme, como si se hubiera olvidado de mí. Tardé un instante en reconocerla, de espaldas y caminando decidida. ¿Realmente se iba sin mí? No me habría extrañado. Era muy de ella, hacer de pronto como si yo no existiera, lo que me resultaba tanto más desconcertante ya que toda nuestra relación estaba marcada, de parte de ella, por su dependencia implacable de mi persona, de mi presencia, al punto de hacerme sentir preso o hechizado. Caminé de prisa hasta alcanzarla y la tomé del brazo. No me miró ni me habló. Suspiré, desalentado, aunque sin preocuparme mucho, porque estaba acostumbrado a sus cambios de humor, a sus silencios. Después de todo, si ella no disfrutaba del paseo, podía hacerlo yo.

Vi un tero cruzando el sendero de piedritas rojas. ¿Sería un tero? No veía uno desde chico, y creo que ni siquiera entonces, cuando vivía en el campo, había visto nunca uno de tan cerca. Eran animales tímidos, huidizos, tenían una estrategia inteligente para proteger el nido, que hacían en el suelo: cuando veían acercarse un extraño se iban lejos corriendo ocultos en el pasto, y ya a buena distancia asomaban y armaban un escándalo de gritos y aleteos, como diciendo «defenderé este nido con mi vida si es necesario», y si el atacante caía en la trampa e iba hacia allí, no tenían más que alzar el vuelo… Pero también recordé que había teros de jardín, domesticados; no sé si los tenían con fines decorativos o para que se comieran los insectos dañinos. Entonces yo debía de haberlos visto de cerca, quizás hasta había convivido con uno, y lo había olvidado. Éste podía no ser un tero; yo había pensado en un tero por analogía; podía ser alguna clase de garza enana, o cualquier otra cosa. Yo desconocía la fauna de El Salvador; bien pensado, no creía que en estas tierras de selvas y volcanes existiera un ave como el tero, tan adaptado a las llanuras.

Pero podían haberlo importado, como una atracción más del jardín. Apuró el paso cuando nos acercábamos, aunque no parecía asustado. Era elegante, esbelto, heráldico; pero demasiado pequeño para cumplir con una función de adorno visible. Los setos eran altos, de más de un metro; el tero podía pasar desapercibido para todo el mundo aun cuando se pasara el día pavoneándose, con esos pasos largos que le hacían balancear la cabeza, el copete de pluma negra bien peinado hacia atrás. Por lo pronto, yo fui el único que lo vio. Óscar y su mujer iban hablando entre ellos, en susurros, y A. seguía absorta en sus pensamientos.

Los setos estaban cuidadosamente recortados, en líneas rectas, tan prolijos que los más lejanos parecían bloques sólidos de materia verde, sólo de cerca se veían las hojitas; ni una sola asomaba de los planos. Debía de haber un ejército de jardineros trabajando todos los días en el mantenimiento. A esa hora, la última de la tarde, no se veía ninguno; tampoco había visitantes: nosotros éramos los únicos, y ya nos íbamos. Era un tanto incongruente, en un país tan pobre como El Salvador, un jardín formal de esas dimensiones, tan cuidado, tan lujoso. Aunque quizás tenía su razón de ser, en medio de la miseria y el caos político: daba trabajo a una legión de empleados estatales, un trabajo que los distraía y les ocupaba la mente. Debía de cumplir también una función simbólica, al desplegar para sus visitantes un orbe de regularidades geométricas, en medio de las sucesivas catástrofes históricas que vivía el país. Estaba abierto a todo público, sin restricciones. Los setos dibujaban triángulos que se repetían simétricamente, los senderos trazados en arcos de poca curvatura se cortaban formando largos ochos.

Yo también estaba necesitando de la función simbólica, del orden de un régimen de signos que le diera algún sentido a mis actos, o estableciera una regularidad cualquiera en la maraña oscura que se había vuelto mi vida. Tal vez hablando con alguien inteligente encontrara un alivio, siquiera momentáneo. Pero no dije nada. Me sentía aplastado por una profunda tristeza sin causa. Esa desazón me subía por el cuerpo como un sentimiento anticipado, el efecto de una causa que todavía no había sucedido y que no podría evitar. Habría querido explicarme con A., pero no valía la pena. En parte porque podía enterarme de cosas que no quería saber; mi política ha sido siempre ignorar todo lo posible de lo que me rodea, saber sólo lo indispensable. Y temía un estallido emocional que acabara con la paz precaria en la que nos hallábamos. Además, yo sabía lo que le pasaba, no necesitaba que me lo dijera. Era una tontería. Había quedado molesta y preocupada por el accidente con su cámara. No sabía si me culpaba a mí; podía hacerlo, y seguramente lo hacía, aunque era injusto; yo había olvidado mencionarle el efecto de los vidrios contra los que había tomado la última foto. En su irracionalidad femenina me culpaba más, de eso estaba seguro, por haberle dicho después que el problema tenía fácil solución (lo que era cierto). Bastaba con hacer extraer el rollo en una cámara oscura, y comprar otro.

Con furia mal contenida me había respondido que era domingo, y las tiendas de fotografía estaban cerradas.

Pero ya era casi de noche, le dije, y por ese día no habría oportunidad de sacar más fotos de todos modos. A la mañana siguiente a primera hora…

Ahí había intervenido Óscar, para decir que el día siguiente era feriado, una fecha patria, y no encontraríamos nada abierto.

A. y yo partíamos al día siguiente a la tarde. Si no había ocasión de solucionar el problema, no habría más fotos y la misión corría peligro de fracasar.

Quedé con una punta de resentimiento contra Óscar, por la complacencia con que se apresuró a informarnos del impedimento. Era como si supiera que la irritación de A. se volvería contra mí. Podía ser injusto de mi parte. En realidad no había hecho más que darnos un dato objetivo, en el momento en que venía a cuento. Pero podría habérselo guardado para un rato después, cuando el clima psicológico se hubiera despejado. El malhumor hacía que lo pequeño se volviera grande. A los tres nos había puesto incómodos el estallido de furia de A. cuando vio inutilizada su cámara, las palabrotas que soltó; en ese momento, había sido como si no le importara nada de nosotros y del clima de laboriosa cortesía que nos habíamos esforzado en construir.

Óscar le había caído mal a A., de entrada, y él se sentía blindado, protegido, en esa membrana de hostilidad; podía decir o hacer cualquier cosa, que no alteraría ese sentimiento; en cierto modo, lo liberaba; por su parte, sentía curiosidad por ella, por la belleza intrigante que había atravesado tantos países y acontecimientos, por sus actividades, y también por su relación conmigo. No se atrevía a preguntar nada directamente. Esa tarde había traído a su mujer para que la conociéramos, quizás con la intención secreta de obtener información por medio de ella, si se producían confidencias entre mujeres. Nada más improbable, conociendo a A. Tenía demasiado que ocultar. Yo era el único que lo sabía todo, o casi todo, y eso era motivo de los amargos reproches que ella me hacía, y se hacía, por haber sido «un libro abierto» para mí, por ingenua, decía, por confiada, antes de percatarse de lo poco de fiar que era yo.

Y Edith, la mujer de Óscar, no tenía ninguna de las características que la habrían hecho candidata a recibir confidencias de nadie. Era norteamericana, hablaba con dificultad el castellano, era muchos años mayor que Óscar, y envejecida por la enfermedad. A esa hora y en ese lugar, bajo la luz sombría del crepúsculo, parecía un espectro.

El jardín no era tan grande como me había parecido minutos antes. Tenía un declive y yo había creído que se extendía hasta el horizonte sólo por hallarme en la parte más baja. Al ascender veía sus límites, que no estaban lejos. La tarde se prolongaba penosamente, en rebotes de gris. Me dio la impresión de que en los espacios que delimitaban los setos ya era de noche. A. persistía en su silencio malhumorado. Los otros seguían hablando en voz baja. De pronto Óscar se dio vuelta hacia nosotros y habló. Antes de oírlo tuve miedo de que hubiera algún problema, o saliera a luz al fin (en esa inquietante semioscuridad) todo lo no dicho hasta entonces. A. debió de compartir mi temor, o quizás yo se lo transmití, porque sentí un inconfundible estremecimiento pasando de su brazo al mío.

Pero se trataba de algo inofensivo. Óscar recordaba de pronto que al fondo del jardín se había construido una sala de exposiciones, o más bien un pabellón, para albergar la obra de un escultor. ¿Queríamos verla? Asentí sin pensar, sólo para ganar tiempo. Tomamos por un sendero lateral. A. se dejaba llevar, inerte, con los ojos fijos en el suelo. Óscar se había puesto a nuestro lado y decía que esa instalación permanente de esculturas había levantado protestas en la ciudad. No por el contenido, al parecer, sino por la ocupación de un lugar público, y el sesgo vanguardista de la obra. Pregunté si era reciente. Vaciló. No tanto, dijo. Creía que estaba hacía unos años ya, pero él no la conocía. Ya antes nos había dicho que hacía veintitrés años que no pisaba el jardín público, joya botánica de la capital en la que vivía. Se disculpaba por no ser un guía turístico muy adecuado…

Cuando llegamos a la escalera que bajaba al pabellón, me sorprendió que no lo hubiéramos visto antes, tan enorme era; el desnivel lo ocultaba; comenté que no había tanto motivo para quejarse, dado lo discreto de su ubicación. Era una construcción alargada, de unos cien metros de largo y veinte de alto, toda en membranas de plástico traslúcido, sostenidas por arcos metálicos; semejaba un tubo seccionado por la mitad. La escalera era curva, de piedra blanca. Mientras bajábamos A. levantó la vista, y al ver el nombre del artista, escrito en grandes letras a un costado de la entrada, fue como si se despertara. Me lo señaló con una exclamación, pero yo no lo conocía. Era un nombre extranjero. Ella empezó a hablar con volubilidad: era un artista favorito suyo, y no sólo suyo, pues era reconocido como uno de los más grandes escultores del mundo, una leyenda viviente, un sabio también, ejemplo e inspiración de las víctimas de la Historia…

Me alegré de esta bienvenida distracción providencial, que la sacaba, siquiera momentáneamente, de su humor sombrío. Al mismo tiempo, sentí temor.

Entramos. A esa hora, éramos los últimos visitantes, y daba la impresión de que habíamos sido los únicos del día. Era como entrar a una fábrica abandonada, con máquinas para hacer cosas inimaginables. Las obras que se exponían eran grandes aparatos de hierro, que nos empequeñecían cuando nos internamos entre ellos. Parecían grúas, o locomotoras, desarmadas y vueltas a armar al azar, o al revés, con las partes pintadas de colores vivos, dislocadas, ensambladas de modo que parecían desafiar a la gravedad. Se podía circular dentro de ellas, y no se sabía bien dónde terminaba una y empezaba otra. A. se había puesto a explicarles algo a Óscar y Edith, que la escuchaban atónitos. Aproveché para alejarme, simulando buscar mejores ángulos para admirar esos armatostes. Necesitaba estar solo aunque fuera unos minutos. La permanente tensión espiritual de A.

me asfixiaba. Su mente actuaba en el registro de la obsesión, enfocada en los pequeños inconvenientes que surgían en el transcurso de una jornada cualquiera, pero a su vez vigilada por un alma insatisfecha, perfeccionista. Ponía en la cuenta de su condición de mujer todos sus resentimientos, rencores y fracasos. Alguna vez, años antes, cuando la comunicación entre nosotros había sido más fácil, yo había objetado que ser hombre no me había beneficiado especialmente. Al contrario, me había planteado exigencias y responsabilidades que terminaron agotando mi vitalidad. Su respuesta fue violenta y contundente: yo era un cobarde. Y sin embargo una vez, cuando nos conocimos y yo abandoné todo por ella, me había premiado con una frase que guardé en el corazón: yo era «su soldadito valiente». ¡Qué lejos había quedado aquel elogio!

Yo nunca había sabido de este interés suyo por el arte, pero quizás lo que la atraía aquí no era el arte sino la voluntad sobrehumana que se traducía en estas esculturas.

La visita se prolongó largo rato. La única luz era la que se filtraba por las membranas curvas que formaban el techo y las paredes. La falta de iluminación eléctrica indicaba que abrían sólo de día, en el horario de visita del jardín. La penumbra crecía, quebrándose en las caras caóticas, los picos, bolas, agujeros, ramilletes titánicos de hierro. Pero no estábamos solos. Había un hombre, mulato o indio, viejo, delgado, con el pelo teñido de rojo bermellón, que se paseaba entre las esculturas del fondo del tubo, mirándonos. Debía de ser el guardián, y estaba esperando que nos fuéramos para cerrar.

Resultó que era el guardián, pero no tenía ningún apuro por que nos marcháramos, al contrario. Cuando vio el interés de A., empezó a hablar, y dio señas de poder seguir haciéndolo indefinidamente. Lo sabía todo sobre el artista, del que era devoto. Le preguntamos si lo conocía personalmente. Asintió: había trabajado con él en la instalación de estas obras, y volvía a verlo cuando venía a la ciudad a ver si todo seguía en orden. ¿Dónde vivía? En Suiza, donde se hallaba una de las sedes de su Fundación, pero la central de ésta estaba en El Salvador, en su casa en medio de la selva, donde había vivido y trabajado durante años; últimamente se había ido a Europa por problemas de salud. ¿Era muy anciano? La edad no importaba, dijo: en un creador como él las fuerzas renacían a cada golpe de inspiración, la juventud interior se imponía a los años... Para cortar ese chorro de lugares comunes le pregunté a A. si quería el catálogo, que estaba en venta y parecía bien impreso. Asintió y lo compré. Cuando cruzábamos el jardín hacia la salida ella hojeaba el libro y me seguía hablando del artista. No lo había sido siempre: en su país natal había sido profesor, lustrabotas, peluquero, comerciante, periodista, hasta que las acusaciones de revisionismo le habían hecho perder el trabajo, la casa, la familia, y lo habían empujado al exilio, desnudo y solo. Después de una larga huida que duró años recaló en América Central, donde inició, ya pasados los cincuenta años, su trabajo en la escultura. Lo había hecho como un modo de recuperar simbólicamente lo perdido... Caminaba con el libro abierto en las manos, pero era casi de noche y no se distinguían bien los detalles en las fotos de las esculturas, ya de por sí intrincadas y confusas.

Óscar nos llevó a un café, donde el ánimo de A. volvió a ensombrecerse. No quiso tomar nada. Nuestros anfitriones comieron sándwiches y tomaron té, yo apenas un agua embotellada. En cierto momento las dos mujeres, que habían quedado del mismo lado de la mesa, se pusieron a conversar entre ellas. No oí lo que decían; Edith tenía una voy muy apagada, y A., que normalmente hablaba alto y claro, ahora balbuceaba. Óscar me invitó a ver un mural que había en una pared del café, en el salón contiguo. Se levantó sin esperar mi respuesta y lo seguí, confirmando mi sospecha de que él esperaba que Edith le sonsacara información a A. No me preocupaba. En cierto modo perverso, me habría gustado que se enterara de todo, aun cuando fuera peligroso. Serían los únicos en saberlo, y allí en ese rincón perdido del mundo no podrían hacernos mucho daño. Pero sería como dejar una semilla; quedaría la posibilidad, siquiera remota, de que nuestra historia sobreviviera.

Claro que Edith, pobrecita, no era la persona adecuada. Quizás sí. La había visto devorar su sándwich y tomar el té con avidez; quizás su aspecto macilento ocultaba la fuerza y la sagacidad de una doble agente. Su marido, Óscar, era otro caso ambiguo. Se comportaba de un modo vacilante, tentativo, sin iniciativa. Daba la impresión de estar tan desorientado ante nosotros que nos llevaba de aquí para allá al azar, a la espera de algo que no se producía.

El salón contiguo me reveló que estábamos en un hotel. El café era parte del hotel, probablemente el sitio donde servían el desayuno, pero tenía una entrada independiente, la que habíamos usado, por la calle transversal. La arcada que traspusimos nos llevaba a un bar con sillones, en ese momento completamente vacío; era un rincón elevado del lobby, grande y oscuro, con columnas, palmeras en tiestos, alfombras raídas. Un empleado escribía en el mostrador de la recepción, dos botones acechaban en la puerta de calle.

Con cierta sorpresa me decía a mí mismo «es un hotel...» Era como si descubriera que yo sabía lo que era un hotel, y que éste era uno. Tan raro había venido siendo todo últimamente que esta modesta coincidencia de hotel y hotel, de palabra y cosa, me devolvía a una normalidad que casi había olvidado. Me di cuenta entonces de que esa atmósfera de extrañeza que había envuelto nuestra estada en El Salvador provenía originalmente de la casa en la que habíamos tomado pensión. Si hubiéramos ido a un hotel como éste todo habría transcurrido por carriles más normales. Mi intención había sido alojarnos en un hotel, naturalmente. Pero le habíamos dejado la elección a Óscar, y él había dispuesto ese alojamiento inusual. Al llegar lo aceptamos sin más, sin preguntar nada. En esta actitud hubo algo de cortesía hacia nuestro anfitrión, que se ocupaba de nosotros por pura buena voluntad, y lo hacía seguramente con la más sincera intención de favorecernos. Pero también hubo, de mi parte al menos, una inconsciente inmersión en lo distinto. Sin haberlo pensado, debí de dar por supuesto que en la ciudad no había hoteles, que estábamos en un mundo con otras reglas; al dejar la suposición por debajo de la conciencia, lo había aceptado sin apelaciones, y eso había conducido a todo lo demás. ¿Ese mecanismo había actuado sobre A. igual que sobre mí? No lo habíamos hablado, en parte porque la comunicación entre nosotros dos se había perturbado desde que llegamos y empezamos a respirar ese aire desconocido, en la casa, en las calles, en la compañía de Óscar. La sorda hostilidad de A. hacia Óscar, por lo demás tan inexplicable e injustificada, debía de provenir de esta elección que había hecho él de la casa-pensión para alojarnos. Y si yo me preguntaba por qué él había elegido la casa, en lugar de reservarnos un cuarto en un hotel cualquiera, un hotel como éste, podía responderme que lo había hecho por ignorar nuestra capacidad económica. En efecto, yo había olvidado especificarle en qué categoría de hotel debía hacer la reserva. En la duda, optó por algo que no lo comprometía en ese sentido. La pensión era baratísima, pero ahí en todo caso podía decir que no lo había hecho por creernos pobres sino por darnos algo especial, pintoresco, interesante… En realidad, él lo ignoraba casi todo de nosotros. Sus vacilaciones, sus aparentes torpezas, provenían de ahí. La sed de saber lo trabajaba, como a todos, y yo debía reconocer que éramos un objeto intrigante para él. Esta línea de razonamiento me llevó a otra explicación, mucho más probable, del sitio donde habíamos ido a parar. No entendía por qué no se me había ocurrido antes; quizás una negación de mi parte. No, no eran consideraciones económicas las que habían movido a Óscar para alojarnos en esa casa; las descarté de plano; había sido más bien su ignorancia de la naturaleza de nuestra relación en ese momento. Debía de haber quedado perplejo al recibir por correo nuestro pedido de una reserva de alojamiento. ¿A. y yo? ¿Cómo podía ser? ¿Juntos, o separados? Tenía que saber que A. me había denunciado y demandado, nada menos que por violación. Las negociaciones con los abogados, mis esfuerzos angustiosos por lograr un acuerdo extrajudicial y no llegar a los estrados, se habían hecho públicos, lo mismo que la intransigencia de A., que prolongó durante meses esa situación escandalosa y me perjudicó hasta un punto casi sin retorno. Menuda sorpresa debía de haberse llevado Óscar al enterarse de que volvíamos a viajar juntos. Y era lógico que se preguntara si habíamos reconstituido la pareja, o íbamos juntos a El Salvador sólo por una obligación profesional. Pero no se había atrevido a preguntar; en un hotel no habría tenido una tercera opción fuera de reservar una sola habitación, o dos separadas. En cambio en esa casa de pensión tenía una alternativa menos comprometedora; en efecto, había reservado lo que se ofrecía allí, que era todo un sector del piso alto, con tres cuartos... Y a su vez a nosotros nos había desorientado y extrañado vernos en ese espacio tan inhabitual para pasajeros fugaces. Con lo cual se desencadenó la serie entre fantasmal y absurda de nuestra saga.

Estas reflexiones y conjeturas se fueron escalonando a lo largo del tiempo, mientras Óscar hablaba. No llegaba a interesarme nunca. Quizás lo estaba intentando, poniendo lo mejor de sí.

Podía ser importante para él, y sin embargo para mí era como oír llover. Se me ocurrió que su maniobra de aislarnos podía tener por objeto no tanto que Edith le sonsacara información a A., sino que él me la sacara a mí. Hasta ese momento no lo había pensado, y cuando lo pensé tuve uno de esos repentinos accesos de desaliento que me daban al comprobar, una vez más, qué poco tenía para dar. Por más que Óscar se esforzara, por más sutilezas que empleara, no sacaría nada de mí. Yo no tenía nada que decirle. Era como si todo lo que me había pasado no me hubiera pasado. «Todo» se revelaba como «nada». No era que me faltaran palabras: era que realmente no había habido nada.

Y sin embargo, debía hablar. Yo también necesitaba información, al menos el mínimo que me permitiera captar el esquema de la situación y seguir adelante. Hice un esfuerzo por escucharlo; no podía ser que entre sus frases no hubiera una, al menos, que me diera pie para una respuesta, y así entablar una conversación. Una vez que estuviéramos hablando encontraría el modo de entrar en un área de comunicación. O renunciaría a encontrarlo, y entonces me olvidaría de todo.

¿Qué pensaría él de mí, de nosotros? A mí, a diferencia de A., no me había caído mal. Me daba la impresión de ser poco inteligente, pero eso me lo hacía más misterioso e inexplicable. No entendía cómo un hombre de su pobre nivel intelectual (si mi intuición no me engañaba) había llegado a ocupar un puesto clave en la seguridad, un puesto que hacía que en ese momento, por unas horas, nuestro destino dependiera de él. Pero quizás su misterio sólo era un reflejo del misterio que yo era para él.

De todos modos, en ese momento no me estaba haciendo confidencias; ni siquiera estaba hablando de él. Hablaba del mural frente al cual nos habíamos sentado. Todo el sector estaba en penumbras. Apenas si había unas lamparillas encendidas, detrás de pantallas de tela violeta, en las mesas bajas entre los sillones. La pared cubierta por la pintura, al fondo, estaba casi en sombras. Dejé que mi vista se fuera acostumbrando poco a poco, mientras escuchaba a Óscar. Me decía que estaba seguro de que un aficionado al arte contemporáneo, que admirase a artistas como el del pabellón del Jardín que habíamos visitado un rato antes, no podría tomar en serio esta obra, apenas decorativa, o en todo caso conmemorativa, obra de un connacional suyo que no había trascendido, y cuyo nombre en unas pocas décadas había sido olvidado. Sin ir más lejos, él mismo no sabía si estaba vivo o había muerto, si había pintado algo antes o después de realizar este mural, si había obras suyas visibles en algún museo… Claro que él no era un experto en arte, ni mucho menos. Quizas el mérito de esta pintura estuviera en su tamaño, o en lo meticuloso de la representación de los detalles; o quizás no tuviera ningún mérito.

Yo asentía, comprensivo. Paradójicamente, fue cuando dejamos de hablar del mural y pasamos a otros temas cuando empecé a discernir las figuras y la historia que ilustraban. Debo de haber almacenado en la memoria lo que veía, porque el rasgo más curioso de la escena pintada, el que constituía su clave, lo entendí mucho después, cuando ya no la tenía ante los ojos. Ese rasgo tanto podía ser resultado de un primitivismo ingenuo como de una sofisticada estilización. Consistía en que el héroe, Pepe Dueñas, legendario bandolero salvadoreño, aparecía varias veces (siete u ocho, calculo; no las conté) en el mismo escenario, que era la selva donde habían transcurrido sus aventuras. En el continuo espacial, la repetición de su figura indicaba una sucesión temporal.

Un cuadro así era difícil de contar, precisamente porque intentaba reproducir la técnica de un cuento. Podía resumirse diciendo que consistía en las distintas escenas de una historia de un mismo personaje, pintadas en un solo cuadro. Echaba mano de un recurso usado por pintores primitivos, y algunos no tan primitivos, como Botticelli en sus ilustraciones a la *Divina Comedia*; yo tenía muy presentes esos dibujos, que se conservan en Berlín. Me había comprado un libro en el que estaban reproducidos, todos ellos. Era un libro pequeño, muy bien encuadernado, un libro-objeto, probablemente pensado como obra de arte autónoma. No tenía texto, salvo algunos versos de la *Comedia* que daban la clave del pasaje ilustrado. En uno de los dibujos, por ejemplo, se los veía a Dante y Virgilio entrando a un círculo del Infierno; unos centímetros más allá los mismos Dante y Virgilio se asomaban a una piscina de fuego; más allá, siempre de izquierda a derecha, como se lee un texto escrito, ellos mismos conversaban con un condenado, y por fin, en el extremo opuesto al que habían entrado, salían por una puertecita, de espaldas. El escenario estaba pintado una sola vez, y las figuras se repetían dentro de él indicando el paso del tiempo y el curso de la acción. Pero esto, este sistema de pintura «narrativa», tuve que deducirlo laboriosamente, y me llevó un buen tiempo (pero yo siempre me jacté de mi lentitud para entender), porque en el librito de marras, por ser de formato pequeño, cada una de las «apariciones» de los dos protagonistas estaba reproducida en una página aparte, como un «detalle» pero sin aclarar que lo era. De modo que sólo mediante el estudio del fondo con lupa (por suerte la reproducción fotográfica era perfecta), pude darme cuenta de que el fondo de cada tres o cuatro reproducciones era uno y el mismo. Al ser un libro de tamaño pocket, presentaba, a página entera, una sola de las apariciones de Dante y Virgilio, con lo que se perdía la peculiaridad «narrativa» del trabajo de Botticelli; pero se la podía reconstruir, como digo, observando con cuidado el fondo, cuyos bordes se solapaban en el recorte que se había hecho para este libro. En efecto, el artista para cada lámina había pintado un solo escenario, sobre el que repetía tres, cuatro o cinco veces la pareja Dante-Virgilio. Un espectador ingenuo, o un niño, habría pensado que lo hacía para ahorrarse trabajo; haciendo cuatro láminas (o tantas como posiciones de la pareja protagónica quisiera mostrar) habría tenido que pintar cuatro veces el fondo; o bien, llevando más lejos la ingenuidad o la fantasía, podría decirse que con los métodos actuales de reproducción fotográfica, podría haber pintado una sola vez el fondo, fotocopiarlo tres veces y obtener las cuatro láminas pintando un solo fondo y cuatro parejas de Dante y Virgilio en distintas actitudes. Pero por supuesto no se trataba de ahorro de trabajo, sino de un recurso deliberado, antecedente del cómic, para acentuar la atmósfera medieval (o mágica) del poema que ilustraba.

En este mural, Pepe Dueñas, Dante sin Virgilio, vengador solitario de las injusticias sociales salvadoreñas, se repetía en un paisaje boscoso; sus distintas apariciones se desplegaban en un arco irregular, o más bien una espiral alargada, de izquierda a derecha, en el extremo izquierdo huyendo de su aldea natal atacada por el Ejército, dejando atrás los cadáveres de sus padres (ésa había sido la tragedia original que lo había lanzado a la vida de rebelde insurrecto), un poco más allá emboscando en un paso montañoso a las fuerzas del gobierno y aniquilándolas, luego haciendo estallar una planta eléctrica, más allá arengando a una población de campesinos; derribando un helicóptero; resistiendo a un cerco de las fuerzas oficiales; huyendo, derrotado, y refugiándose en un convento disfrazado de monja; y por fin, en el extremo derecho, atrapado y ejecutado...

Algo que este método compartía con el cómic convencional era la necesidad de hacer que los personajes dibujados, en sus distintas apariciones, fueran iguales, o se parecieran lo suficiente para que el contemplador supiera que se trataba de los mismos. Para un buen dibujante eso no significaba un problema, a pesar de lo cual había una tendencia muy explicable a imponerle a cada figura un rasgo, simplificado o exagerado, que lo hiciera inmediatamente reconocible. Lo más práctico era darle algún atributo, o color, en la ropa o la postura... El autor del mural no había tenido problemas en este aspecto porque en cada una de sus apariciones Pepe Dueñas estaba pintado exactamente igual (era como si hubiera aplicado un sello), con la indumentaria con que había pasado a la imaginería popular: bombachos negros, saco entallado amarillo, camisa roja, corbata verde, sombrero fedora azul con una gran pluma rosa. Inconfundible. Botticelli, aun siendo un héroe cultural del Renacimiento, había usado la misma facilidad (Dante túnica roja, Virgilio negra), pero con el justificativo de que el viaje extraterreno del poeta había durado una sola jornada; mientras que era del todo inverosímil que Pepe Dueñas hubiera usado la misma indumentaria durante cincuenta o sesenta años, desde la infancia hasta el día de su muerte.

Habría querido preguntarle a Óscar sobre este personaje, del que no sabía casi nada; no sabía siquiera si había existido realmente o era una concreción imaginaria de los resentimientos del pueblo, quizás una figura sincrética que reunía rasgos y anécdotas de distintos vengadores y rebeldes. Pero no me dio ocasión de hacerlo porque ya se había alejado mucho del tema, y habría sido un tanto violento, por descortés, volver a él interrumpiendo sus confidencias. Hablaba de asuntos muy íntimos. Empecé a sentirme incómodo, pero recordé que habíamos iniciado esa conversación horas atrás, y él no hacía más que reanudarla después del incidente de la cámara y todo lo que le siguió. Yo lo había olvidado. Y ahora, distraído por el esfuerzo de atención que me reclamaban sus argumentos sutiles, no podía recordar cómo y por qué habíamos llegado a esos temas escabrosos. No era algo de lo que me gustara hablar, así que postergaba el momento de responder o hacer un comentario. Eso me salvó de hacer el ridículo, porque Óscar no estaba hablando de sexo, sino de su trabajo. Yo había oído la palabra «fantasía» y eso me había sugerido inconscientemente las fantasías sexuales, que me parecían el modo más lógico de satisfacción en un hombre como Óscar, con su natural reconcentrado y su esposa vieja y extranjera. Las fantasías de las que me estaba hablando, las que encontraba, según él, tan difíciles de hacer realidad, eran otras: eran las que lo habían llevado al tipo de trabajo que hacía.

Pero la Prevención de Sabotaje era como estar atravesando una pared todo el tiempo. Una pared sólida y sin puerta, que había que atravesar sin echarla abajo. Los fantaseos de eficacia, de perfección, y en última instancia de felicidad, que habían dictado su vocación, siempre eran anteriores a la realidad, y nunca llegaban a ella. La realidad era decepcionante; en ella había una torpeza, un desajuste, que no tenía remedio. Querer remediarlo llevaba al mundo espectral de la fantasía. El peso y el volumen y el color de la realidad se pagaban con la pérdida de la fluidez y la belleza. Se pagaban con el eterno tropiezo, con la cojera, con el tartamudeo.

Traté de llevar la conversación a temas más generales, para evitar confidencias que me comprometieran, pero se negó a seguirme. Era en vano que lo tentara con definiciones o axiomas; él no tenía una personalidad reflexiva; era un hombre de acción. Las teorías, podía aceptarlas todas, pero ninguna tenía efecto sobre su conducta. Era el hombre de lo particular e inmediato. De ese modo bloqueaba el sentimiento, que siempre era una generalización. Si había algo que no quería, era sufrir más. Ya había sufrido bastante, con el hijo de Edith.

Sugerí que quizás era por esas características que lo empleaban y confiaban en él para un trabajo tan delicado, de tanta responsabilidad.

Un resoplido sarcástico prologó su respuesta. ¿Quién lo empleaba? ¿Lo sabía él acaso? Bueno, sí, lo sabía: el Estado, a través de las corporaciones con intereses en el país, a su vez mediadas por las aseguradoras... Pero él no tenía una autoridad a la que reportarse, lo que podía ser una ventaja pero a la larga lo dejaba desamparado.

Lo peor era que esa autoridad superior existía. ¿Cómo no iba a existir? Y podía ser implacable, de eso estaba seguro. Pero sólo se manifestaría en el caso de que él fallara en su cometido. El Sabotaje tenía esa peculiaridad maldita: era invisible, de hecho era inexistente, hasta el momento en que existía, y entonces ya era tarde... ¿Cómo combatir, o «prevenir» (porque ésa era la palabra) lo que no existía? Sugerí que pasaba lo mismo con el Terrorismo, del que el Sabotaje, a mi ver, era una subespecie. Negó con desaliento: no, no tenían nada que ver. Del Terrorismo se ocupaban otros; en El Salvador existían brigadas antiterroristas muy especializadas, de origen norteamericano. Comparado con el Sabotaje, el Terrorismo era algo normal. Se lo podía ver y tocar, se lo podía combatir cuerpo a cuerpo. El Sabotaje era insidioso, proteico, podía disimularse en todos los repliegues del tiempo y el espacio... Su existencia seguía siendo inexistente...

Yo tenía cada vez menos ganas de hablar. La charla se prolongó largo rato, entre silencios. Se corregía: no había querido decir que el Sabotaje fuera inexistente (¡ojalá!): era indefinible. Una sonrisa podía ser Sabotaje, un suspiro, una coma intercalada entre un verbo y un adverbio. Hacía una larga pausa. Según su experiencia, el Sabotaje estaba hecho de tiempo, lo que hacía imposible la prevención, y lo hacía sentir inútil...

Al fin volvimos al café, pero no por donde habíamos venido. Salimos a la calle por las grandes puertas giratoria del hotel, y caminamos hasta la esquina. Hacía menos frío que antes. Busqué con la vista, a través de los vidrios, a A., que seguía en la misma mesa, todavía hablando con Edith. Se inclinaban una hacia la otra, en un gesto de intimidad; seguramente lo hacían para oírse, por el ruido en el interior. Afuera, reinaba un completo silencio. No pasaba un auto, no se veía a nadie. Rato más tarde, después de despedirnos de nuestros amigos (ya no los volveríamos a ver), caminábamos por el barrio viejo de la ciudad, desierta y silenciosa a esa hora de la noche. A. hablaba sin parar, como si quisiera compensar por el silencio que había debido guardar en presencia de Óscar. Me hablaba de eso precisamente. Decía que no había querido hablar en su presencia porque estaba segura de que era un espía, sentía en la piel su malevolencia... Pero ¿espía de quién, de qué?, le preguntaba yo. Y aunque así fuera, ¿en qué la afectaba a ella? ¿Qué podía temer de él? No lo temía, dijo: lo despreciaba. Era un mediocre, un vampiro que se alimentaba del talento ajeno; estaba segura de que la menor información que lograra sacarle, o que ella fuera tan imprudente de darle, serviría a sus fines inconfesables, a su codicia, a sus maniobras de trepador.

Ponía como prueba de estas descalificaciones la indiferencia que Óscar había mostrado en el pabellón del jardín, ante las obras del artista que a ella tanto la conmovía. Ya el solo hecho de que no supiera de su existencia... Vivía en la ciudad y nunca antes había visitado la exposición.

Le dije que no todo el mundo tenía sensibilidad artística, y menos para apreciar una obra tan difícil y exigente...

Me interrumpió con vehemencia: tratándose de ese artista (de cualquier artista en realidad, pero de éste muy en especial) no se trataba sólo de lo estético, sino de la dimensión humana, de la enseñanza y la inspiración que ese escultor había dado a tanta gente. Su ejemplo mismo demostraba la invencible resistencia a la adversidad que tenía el alma del hombre, cuando está bien templada: él lo había perdido todo en la guerra, toda su familia había perecido, y en el más completo desamparo había partido a un exilio impreciso, en un larguísimo viaje en las más precarias condiciones, por el Círculo Polar Ártico, hasta llegar a El Salvador y allí había tenido el coraje de recomenzar, de descubrir su vocación...

Era muy tarde, la Luna estaba alta, casi en el centro del cielo. No había nubes, pero no se veían estrellas. Salvo la Luna, recortada en un intenso blanco sin resplandor, el cielo estaba negro como la tinta china. Las casas eran bajas, con paredes torcidas por la edad, todas cerradas a cal y canto. Íbamos dejando huellas en la humedad que cubría las piedras azules de las aceras. Se marcaban por un instante, como si con los pies secáramos ese rocío; si mirábamos atrás las veíamos perfectamente dibujadas, por un segundo apenas, después se borraban, dejando huella sólo en el recuerdo, o como imagen retiniana remanente, las suelas de mis grandes zapatos deformados («de oso», decía A., y yo la corregía: «de payaso»), y las de sus botas de montar, que eran un pequeñísimo triángulo con un cuadrado (el taco) siguiéndolo.

El escultor había alcanzado la fama, y no poca fortuna. Pero no renegó de su historia ni se apartó de los pobres y los doloridos. Su figura había sido una inspiración… En una cárcel de la capital, una mujer presa por homicidio había visto en una revista, de las pocas que entraban al penal, un artículo sobre él, y le había escrito. Le decía en la carta que ella también lo había perdido todo, y más, porque también había perdido la libertad. La condena, el encierro, la perspectiva de pasar el resto de su vida en una celda, sin un contacto auténticamente humano, la habían llevado a una sorda desesperación, y a pensar que todo había terminado para ella. Pero él con su ejemplo le había encendido una llamita de esperanza: la vida podía recomenzar, aun desde lo más hondo del despojamiento. Le escribía para decírselo y agradecerle, pero también para preguntarle si había entendido bien la esencia de sus palabras, y si la transcripción de éstas había sido bien hecha por el periodista. La carta, enviada tentativamente a la dirección de la revista, llegó después de dar un largo rodeo a manos del escultor, que respondió en un castellano defectuoso (su lenguaje no era el verbal sino el de las formas, los volúmenes y los colores) pero con mucha calidez; le contaba algunos hechos de su vida, le daba ánimos, y le pedía que, si le servía de consuelo, le siguiera escribiendo. Ella lo había hecho, y con el tiempo esas cartas se habían reunido y publicado en un libro. Completando el círculo, las reflexiones que esta mujer homicida desarrollaba en sus cartas habían inspirado al artista una serie de esculturas.

Aun sin cambiar nada de las condiciones materiales de su confinamiento, este proceso de «ida y vuelta» de la inspiración creó nuevas perspectivas en la vida de la presidiaria. Aunque sus cartas nunca tuvieron pretensiones literarias y se limitaron a transcribir sus vivencias y sentimientos con la ingenua espontaneidad del habla popular, el trabajo de la escritura abrió su pensamiento a nuevos caminos. Desde el comienzo advirtió que la queja no la llevaba a ninguna parte: clausuraba los temas en lugar de abrirlos. Claro que en su situación no era fácil no quejarse. Si no se quejaba, prácticamente no tenía nada que decir. De pronto, por poco que lo pensara, las restricciones estéticas o morales que se imponía ella misma la paralizaban. Pero dentro de la parálisis encontraba una nueva movilidad, y fue ésta la que le dio a sus cartas, a fin de cuentas, la poesía y el sabor de fábula que cautivaron a El Salvador.

Las observaciones y pequeños relatos que contenía este epistolario empezaron haciendo una fenomenología de la vida carcelaria, colorida y no muy deprimente gracias a la severa represión de la queja. Pero su mismo impulso narrativo la llevó, carta tras carta, a hacer una historia de su vida, y un sutil mecanismo de reconocimiento provocaba la identificación de los lectores. No cualquiera podría haberlo conseguido; en esta mujer sin instrucción había latente un raro talento literario. Como al azar, sin proponérselo realmente, creaba correspondencias lejanas, muy precisas, en las que se revelaban sentidos universales. Por ejemplo, en una de las primeras cartas mencionaba, no sin humor, una de las cosas que se perdían al estar presa. No era necesario decir, y por ello no lo decía, que era mucho, casi todo, lo que se perdía al perder la libertad. Lo sorprendente era que había elegido para destacarlo algo poco valioso, o directamente negativo: la posibilidad de perder objetos. La vida en la cárcel, en una celda de máxima seguridad como estaba ella, era tan limitada, tan reducida a los mínimos, que no había ocasión de extraviar nada, como en una casa se podía extraviar un papel, o los anteojos, o las llaves (¡las llaves, justamente!) o un lápiz... Ahí el lector entendía bien de qué estaba hablando, ya que su propia experiencia estaba poblada de episodios semejantes. Nada era más común, en efecto, que uno de esos extravíos cotidianos que hacían perder tanto tiempo, aunque la casa fuera chica. Pero la casa nunca era tan chica porque esta experiencia era común a los miembros de la clase media, mucho más que a los pobres (los pobres tenían menos objetos que perder, y nunca perdían las llaves del auto porque no tenían auto); de este modo indirecto la presa tendía un puente desde la vivencia popular más baja, donde convivían la miseria y el crimen, hasta los estratos sociales superiores donde se reclutaban los lectores. A los presos nunca les pasaba que perdieran un objeto pequeño, y perdieran tiempo buscándolo; no les podía pasar. Era paradójico, pues se trataba de un pequeño pero irritante inconveniente que se evitaban, pero justamente por evitarlo los objetos adquirían una presencia implacable, que se sumaba al resto de la condena, y angustiaba, sobre todo porque con el tiempo sucedía lo mismo que con el espacio. Al preso nunca se le «traspapelaba» una porción de tiempo, nunca se olvidaba de una cita, ni se le vencía el plazo de pagar una cuenta, ni se sobresaltaba de pronto al recordar, advertido por el olor a quemado, que había dejado la leche en el fuego. Su rutina estaba tan simplificada que terminaba olvidándose de la mera existencia de las distracciones o los olvidos. Para él, tiempo y espacio formaban compactos intratables, y descubría qué importante era la porosidad de la vida libre de la que lo habían excluido.

La filosofía de la presidiaria era tan simple y llana como el lenguaje en que la expresaba. Un robusto sentido común, asentado en las duras realidades de la vida del pobre, se aliaba a la astucia sin la cual no se sobrevivía en ese medio. Pero había algo más, que le dio su encanto peculiar a las cartas. El resorte indispensable para seguir escribiéndolas eran las respuestas que recibía del escultor. Ya se dijo que este hombre había terminado en tierras centroamericanas por pura casualidad, después de largos años errante por el mundo tras su expatriación. Su manejo del castellano era menos que precario: se sumaban varios factores para hacerlo tan deficiente. El primero era que su lengua materna estaba muy lejos del castellano. El segundo, que en los largos años del periplo que lo depositó al fin en El Salvador intervinieron varios idiomas, tan disímiles como el polaco, el lapón, el maya, que le adhirieron restos casuales de vocabulario, o giros sintácticos, complicando sus intentos de comunicación. Y el tercero, ya mencionado, que su lengua natural, la única en la que se movía con soltura, era la de las formas plásticas, no la del lenguaje articulado. De ahí que sus respuestas a las cartas de la presa resultaran confusas. No era un inconveniente insalvable, porque el contacto que se había establecido entre ellos corría por un nivel más profundo que el lingüístico. Pero aun así, la presa, para retomar cada vez el hilo de la comunicación, debía hacer un esfuerzo, y no sabía cuánto había en él de desciframiento y cuánto de invención. Pero seguía adelante, porque no podía hacer otra cosa. Llegó a dudar de todo, hasta de que ese hombre fuera escultor. Era muy posible, en efecto, que el periodista que lo había entrevistado hubiera oído una palabra que se parecía a «escultor» pero era cualquier otra cosa; y a partir de ahí hubiera hecho fotografiar cosas que había en el domicilio del hombre y que, dada la gran libertad del arte contemporáneo, podían pasar por arte, aunque en realidad quizás fueran un lavarropas a medio desarmar para repararlo, un sillón en proceso de retapizado, una canaleta... Peor aun: también podían ser fruto de un quiproquo las desventuras vividas, la pérdida de la familia, el exilio. Pero no dejó que las dudas la detuvieran. Al contrario, las usó como estímulo para ir más lejos en sus propias confesiones. En el trabajo de hacerse entender encontraba definiciones y diferencias inesperadas, que de la palabra pasaban a la realidad. Por ejemplo la diferencia entre «condena» y «castigo».

Ahí vio, en el curso de los días y noches interminables de su cautiverio, la mayor y más irremediable injusticia del sistema penal del que era víctima. Condena y castigo no eran lo mismo, aunque lo parecieran, y en la diferencia estaba toda la crueldad que sentía ejercitarse contra ella. Se condenaba a un criminal, y si el proceso había sido llevado de acuerdo a la ley, si se habían acumulado pruebas contundentes, testigos veraces y motivos verosímiles, el juez tenía la aprobación de todo el mundo, incluido el reo, para dictar una severa sentencia, el debido pago a la sociedad por una culpa comprobada. El proceso mismo, el juicio, oral o no, justificaba la sentencia en tanto era una «reconstrucción» narrativa del crimen, que entonces estaba fresco y vívido en la conciencia de todos los implicados. Pero cuando el reo ya estaba en la cárcel, y corría el tiempo de la condena, era un preso más, entre otros que habían cometido otros crímenes, completamente distintos (porque no hay dos crímenes iguales), y sin embargo todos estaban en la misma tropa de infelices, sufrientes, impotentes. El crimen quedaba en cierto modo anulado por un olvido voluntario de todas las partes, y el preso (en este caso la presa) era sólo víctima de la falta de libertad, de la sordidez y humillación de la subhumana vida carcelaria. Para no apiadarse de ella había que hacer historia, en realidad había que hacer un esfuerzo de resurrección histórica con el cual volver al momento del pasado en que se había producido la causa de todo. Y ya se sabe que al pasado nunca se vuelve, como no sea en la imaginación. De ahí que fuera tan común sentir piedad por los presos; cuánta más sería la que sentían los presos por sí mismos. Aun aceptando la justicia de la pena que sufrían, no podían sino verse como simples desdichados, abandonados por Dios, los hombres, y la suerte.

Y esto, pensaba la presa, no sucedía sólo en la cárcel. El mismo contraste entre condena merecida y castigo inmerecido (sádico) se había dado ya en su huida, quizás ya en la fracción de segundo que separaba el homicidio de su vida posterior (y hasta la anterior, por qué no). Todo esto constituía la materia de las cartas que habían servido de base para su libro. De éste fue puesta en duda la credibilidad, no así la lección que comportaba.

Llevó a cabo el crimen de la manera más brutal, más primitiva: golpeando a su víctima en la cabeza con un gran trozo de metal, de varios kilos de peso, sin forma; lo tomó con las dos manos y le rompió el cráneo del primer golpe; probablemente el hombre ya estaba muerto cuando lo descargó por segunda vez, y al parecer hubo otras. Las salpicaduras de materia orgánica en el piso, en los muebles, en las paredes, eran un impresionante testimonio de la violencia explosiva de los impactos; es fácil imaginar el ruido, de huesos rotos, de fluidos, las desgarraduras, los espasmos de títere inanimado del cadáver al seguir recibiendo golpes. Todo lo cual apuntaba a un trazo grueso mucho más de hombre que de mujer. Sin embargo, los peritos psicológicos que participaron en la instrucción opinaron lo contrario: para ellos el estereotipo del homicidio «femenino», con unas gotas de veneno en la taza de té, o la consabida pistola diminuta con cachas de nácar rosa, era un prejuicio literario que no resistía a la prueba de una realidad en la que cotidianamente mujeres de toda edad, estado civil y extracción social llevaban a cabo asesinatos por medios de la más marcada brutalidad.

De cualquier modo, no hubo dudas de que había sido ella. Nadie que la conociera, o que la hubiera visto, así fuera en fotos, aun en las imperfectas fotos de la prensa, podría haber dudado de su capacidad de cometer el crimen. La furia la envolvía, le daba tensión a su cuerpo otrora esbelto, después martirizado por la culpa. Y en sus rasgos violentos lo humano quedaba sólo como una reliquia muerta, bajo capas de historia de abusos, sufrimiento, humillaciones. La palabra «monstruo», después de todo, no estaba fuera de lugar. Sea como fuera, las pericias psicológicas, por redundantes, eran apenas una crueldad más. Su culpabilidad estaba decidida por pruebas materiales contundentes, la primera de ellas: el arma homicida, el trozo de metal usado para aplastarle el cráneo a la víctima. Ella no pudo desprenderse de ese elemento incriminatorio, por el simple hecho de que el metal en cuestión era oro, y constituía su única posesión, el único bien con que contaba para poder iniciar una nueva vida. Ni siquiera las manchas de sangre pudo lavarle: la forma irregular que tenía, llena de salientes y entrantes profundas, habría hecho necesario, para una buena limpieza, cepillos, inmersión en agua caliente, quizás hasta un soplete que lanzara un chorro penetrante. No era algo que se arreglara pasándole un trapo húmedo. Y esas maniobras higiénicas le estuvieron vedadas durante su huida, sin refugio, sin tiempo, en constante movimiento. Y la huida, además, estaba entorpecida por el peso del oro, excesivo para ella. Sólo en un momento de posesión, en un espasmo nervioso, había podido levantarlo sobre su cabeza, con las dos manos, y descargarlo sobre su víctima. En circunstancias normales apenas si podía sostenerlo, y de pronto las circunstancias habían pasado al nivel de lo subnormal, pues la falta de descanso, de sueño, de alimentación, durante la prolongada huida, la debilitaron y entorpecieron. Pero no podía dejarlo, ya que todo su futuro dependía de él.

¿Cuánto pesaría esa infernal masa de oro? ¿Diez kilos, doce? Era más o menos lo que calculaba ella, pero no podía tener ninguna seguridad, pues no se encontraba en circunstancias normales, físicas y psicológicas. Y además, los pesos que recordaba haber cargado habían sido los de bolsos con asas o paquetes atados, y esta masa tenía una forma muy irregular (procedía de la fundición de un motor) que hacía especialmente difícil sostenerla, lo que debía de agregarle kilos, o sensación de kilos, a su peso.

Completaba la dificultad el hecho de que había que mantenerlo disimulado para evitar que su visión despertara la codicia; habría sido muy fácil arrebatárselo, en el estado de debilidad y desorientación en que se encontraba; hasta un niño habría podido hacerlo. Y no faltaría quien quisiera hacerlo, en la ciudad invadida por la delincuencia. Fue lo primero que pensó, cuando salía corriendo de la casa, dejando el cadáver en el suelo; salir a la calle, despeinada, perturbada, sin ropa adecuada, resoplando, tropezando, y encima llevando en los brazos el oro desnudo chorreando sangre, era lo más imprudente que se podía hacer, pero la urgencia por alejarse de la escena del crimen fue más poderosa que cualquier razonamiento. Por suerte no había nadie a esa hora, y pudo correr unos cientos de metros sin interrupción. La carrera, y el frío de la noche, la despejaron lo suficiente como para ver la necesidad de tomar alguna medida de protección. Se metió en lo que parecía un callejón, o un patio. Se sentó en el suelo apoyando la espalda en la pared. Al dejar el oro sintió cuánto era el peso que había venido soportando; le dolían los brazos, los hombros, el cuello. Había buscado un sitio oscuro, y ahora se daba cuenta de que estaba detrás de unos grandes contenedores que bloqueaban la luz proveniente de la calle. Pensó que allí, entre la basura, encontraría algo con que envolver su tesoro. Cuando hubo recuperado el aliento, levantó la tapa del contenedor más próximo y tanteó en su interior. Las manos tocaron algo que le pareció prometedor, y tirando con fuerza sacó un pequeño colchón, tan pequeño que, calculó, debía de haber sido de una cunita o moisés de bebé. El relleno estaba podrido y asomaba por los desgarros de los bordes. Pero la tela del forro podía servirle; la arrancó, lo que no fue difícil, y con ella pudo envolver el oro. Era una tela espesa, con estampados que no pudo distinguir en la oscuridad.

Entonces sí, satisfecha con la maniobra, partió. Había tenido que improvisar, y supo que de ahora en más ésa sería la pauta invariable. Todo tendría que ser improvisado en el momento. Es decir: perdía la referencia que le daba la organización de los hechos, porque éstos se habían desorganizado radicalmente. Era como si la realidad misma se alejara, y en su lugar, en la tierra de nadie que se abría ante ella, sólo hubiera la posibilidad de invenciones dislocadas, hijas del momento y de la necesidad.

Se ahorró la pesadilla de errar interminablemente por suburbios sin fin, porque la capital, pequeña y densificada por la especulación inmobiliaria, se terminaba enseguida y cedía su lugar al campo. Las calles ominosas se transformaban en caminos, que subían y bajaban por entre selvas escalonadas hasta el cielo. Era el interior, salvación del perseguido. En todas partes, como en una feria, ríos, lagos, cascadas, los géiseres monumentales del Gran Acuífero, las turberas tropicales con los maravillosos murciélagos enanos, pequeños como mosquitos, las cavas de piedra azul en las que hervía un barro perenne, palmares ventosos, vertiginosas canteras cruzadas en lo alto por puentecitos danzarines, montes de ficus retorcidos, lavandas y malvones, baños de piedra, basílicas de oropéndolas y criaderos aéreos. Los volcanes activos brillaban de noche, con resplandor de horno; sus hilos de lava carmesí hacían dibujos caprichosos que se borraban de día y nadie podía encontrar, pues la corteza terrestre se reacomodaba todo el tiempo. Los microclimas se sucedían a cada paso, hasta con lluvias individuales. Y en los valles fértiles, nacidos de hundimientos paleozoicos, las pintorescas aldeas que constituían la verdadera riqueza demográfica de El Salvador. Turistas norteamericanos o europeos habrían pagado grandes sumas por recorrer los destinos que esperaban a la presa; para ella eran apenas un accidente.

En ese entonces, el país se debatía en una sangrienta guerra civil, que hacía de cada uno de sus edénicos rincones la ocasión de una emboscada mortal. Oscuros intereses alentaban el caos armado; reinaba la inseguridad en ciudades, pueblos, y hasta en las vírgenes extensiones selváticas que cubrían la mayor parte del territorio. Poblaciones enteras se desplazaban huyendo de los enfrentamientos y las exacciones. Las caravanas en desbandada se fundían unas con otras, se separaban, volvían a encontrarse, producían la impresión de estar recorriendo círculos, o torcidos óvalos de ansiedad y desamparo: los países vecinos habían militarizado sus fronteras, cerradas a cal y canto, como si se hubieran conjurado para que el pequeño cosmos salvadoreño se desangrara en su clausura. La vida y la muerte se habían vuelto un albur para todos por igual; ya no había domicilios, ni empleos fijos, ni futuros programados. Todo lo cual, dramático como era, favorecía a la mujer: no había mejor refugio para un fugitivo que un mundo de fugitivos. Y además, ella gozaba de algunas ventajas relativas: a diferencia de los desplazados o bombardeados, no tenía que preocuparse por familia o enseres, le daba lo mismo ir en una dirección o en otra, y no temía perderse o alejarse. Donde los demás lamentaban el alejamiento, ella lo festejaba, y pedía más. Ni siquiera cargaba con la amenaza de la violencia, porque ya la había dejado atrás.

Y sin embargo... No era tan cierto que ella no tuviera que cargar nada: iba con la gran roca de oro en brazos, y no se atrevía a separarse de ella un instante, ya que era su única posesión, y en ella basaba todas sus esperanzas de volver a tener algo y reconstruir su vida. La llevaba envuelta en trapos, los mismos trapos que había encontrado en el callejón, pues no encontró otros en toda su peregrinación. Lo único que pudo hacer fue acolchar un poco, con musgo y hojas, entre el trapo y el oro, para que no le lastimara tanto las manos. La forma irregular de la roca la hacía incómoda de cargar. Su peso, en las largas marchas cotidianas, le entumecía los brazos y le causaba dolores lancinantes en la espalda. Además, llamaba la atención. A primera vista parecía un bebé, y reforzaba la impresión el apego obsesivo con el que lo manipulaba. A los salvadoreños, en esos tiempos turbulentos, se les había vuelto un cliché esa imagen de la madre que no soltaba al hijo a través de todos los obstáculos; de ahí que se la aplicaran automáticamente. Pero bastaba un mínimo de atención para ver que la forma de ese bulto no se correspondía con la de una criatura humana, y además a un niño no se lo llevaba envuelto por todos lados, sin dejarle un resquicio para respirar. Las preguntas a las que dio lugar esta curiosidad fue una de las causas de que la fugitiva abandonara el proyecto de unirse a las procesiones de desplazados para aprovechar las ventajas de los campamentos de civiles levantados y administrados por los Cascos Azules. Muy a su pesar, descubrió que aun en un contexto de guerra las identidades seguían siendo examinadas, los antecedentes tomados en cuenta; los papeles de documentación no habían perdido su vigencia, todo lo contrario: la habían aumentado. Hasta los indios, los pipiles y los mecas, sobre todo los indios, mantenían un registro implacable de sus respectivas membrecías. La inquietud y los temores la obligaron a mantener un movimiento incesante. No se detenía en ninguna compañía. Eso la agotó física y espiritualmente. Si sus vagabundeos nerviosos la llevaban a una aldea en paz, no se atrevía a pedir asilo, pues debería dar demasiadas explicaciones; pero era más o menos lo mismo cuando una aldea había sido bombardeada y sus habitantes emprendían el éxodo. No sólo lo mismo sino peor, ya que los emigrantes desconfiaban más y se mostraban más brutales y expeditivos. Lo ideal era llegar, en el momento justo, al punto donde se unían los expulsados de dos aldeas, y confundirse con ellos cuando seguían juntos. De ese modo todos creían que pertenecía a la otra aldea. Pero esa coincidencia se daba rara vez, y tampoco daba una seguridad completa; porque lo más probable era que a los pocos días u horas de marcha los miembros de una y otra aldea se hicieran amigos, y conversando alguno preguntaba: «¿Quién es esa mujer con el bulto envuelto en trapos?». Y el otro le decía: «¿Pero cómo? ¿No venía con ustedes?». «No, no es de nuestra aldea, nosotros nos conocemos todos, y a esa mujer nunca la habíamos visto. ¿Ustedes tampoco?» «No. Ni idea.» «Entonces, vamos a preguntarle quién es, de dónde salió, y qué es ese bulto del que no se separa ni para dormir.» Imaginar este diálogo la desalentaba. Por un instante se le encendía una esperanza: con dos aldeas no funcionaría, pero quizás con tres, con cuatro… No. Era inútil. El país estaba en llamas, pero no le bastaba. El caos no era todo lo caótico que ella necesitaba. Seguramente nunca lo sería. ¿Y mentir? No, lo había descartado sin intentarlo siquiera; no tenía imaginación, ni podía reunir la concentración que se precisaba para mantener una mentira en el tiempo. Podía haber intentado decir por ejemplo que lo que llevaba en brazos era el cadáver de su hijo muerto, y si le objetaban la forma, argumentar que había nacido monstruo, y por eso había muerto. ¿Por qué no le había dado cristiana sepultura? Ahí habría tenido dos opciones: la primera y más convencional, decir que justamente andaba buscando un camposanto, con cura y enterrador, para no depositarlo en un pozo cualquiera como una alimaña; la segunda, un poco más barroca, pero quizás más verosímil en tanto la realidad suele ser más rara que la razón, era decir que lo llevaba para venderlo al Museo de Ciencias, donde podían exhibirlo como fenómeno inusual. Y si esto podía herir la sensibilidad de los que aun creían en el instinto materno, la respuesta obvia la daba la miseria producida por la guerra, y el consiguiente cataclismo que afectaba a la ética.

En estas vacilaciones y sobresaltos atravesó los valles y se vio en las lindes de la selva, oscura, amenazante, inhabitada. En otro momento habría hecho cualquier cosa, enfrentado cualquier peligro, antes que internarse en ella. Era una mujer de ciudad, sin hábitos de vida al aire libre; hasta entonces en su huida había buscado alguna clase, cualquiera, de sociedad, de habitación, de contacto humano; pero la disimulación y el temor le habían envenenado ese contacto; la perspectiva de tener que hacer frente otra vez a las miradas inquisitivas del prójimo la animó a dar el paso desesperado de perderse en la selva, «para siempre», según pensó. No debía de ser un pensamiento muy serio, pues no soltaba el oro, que representaba su proyecto de reconstruir su posición en la sociedad.

Hizo unos cientos de metros, en la penumbra verdosa. Allí no había caminos; la marcha era lenta y penosa, no sólo por el curso zigzagueante al que la obligaban los árboles sino porque el terreno se hacía desigual, con las raíces brotando del suelo en nudos retorcidos. La sensación de soledad era completa. El canto de un pájaro, amortiguado por sus propios ecos, los chillidos lejanos de los monos resaltaban el silencio que los envolvía. Nubes de insectos pequeñísimos, en una danza atorbellinada, se escurrían hacia la altura, alternando la invisibilidad con un brillo móvil de motas de oro cuando un haz de luz se filtraba entre las copas. Se sentía muy pequeña al levantar la vista. Los árboles de corteza lisa y lustrosa, caobas sombrías y aromos antiguos, subían a alturas titánicas; el sudor incesante que resbalaba por los troncos les daba una apariencia de movimiento. Resinas tóxicas goteaban de las puntas de las ramas. Las arañas, el cuerpo apenas una bolita morada, las patas larguísimas con raras articulaciones giratorias, tejían sus redes. Las avispas partían de sus nidos acaracolados de barro, en largos vuelos rectos. Las lianas valsaban con lentitud gravitatoria. Un grito discordante acompañado de un aleteo delataban de pronto la presencia escarlata del papagayo: parecía como si se hubiera sacudido en un accidente nervioso del sueño. En el enredado sotobosque, flores pequeñas y pálidas por la falta de sol.

Se detuvo al hallar ramilletes de rabanitos, que probó: eran picantes y fríos; los supuso nutritivos. Se sentó a comer. Una vez que hubo interrumpido la marcha, le fue imposible retomarla de inmediato. Se había sentado en el suelo, y comía los rabanitos uno tras otro. Sólo después de comer una docena se dio cuenta de que no tenía por qué seguir sosteniendo con un brazo la masa de oro; la depositó a su lado. El alivio físico se manifestó primero como un intenso dolor en los hombros. Trató de relajarse, mientras comía una docena más de las picantes bolas rojas. Tan entumecida como el cuerpo tenía la mente, a pesar de lo cual recordó que los rabanitos que ella conocía crecían bajo tierra, mientras que éstos colgaban de las ramas de un arbusto enano. Miró con atención el que acababa de arrancar. Lo apretó con los dedos y lo vio abrirse. Lo desarmó con cuidado. Llegó a la conclusión de que era una flor, con los pétalos blancos tan comprimidos que tomaban la consistencia de la carne de una leguminácea.

Fueran lo que fueran, la habían alimentado. La satisfacción que sobrevino le cerraba los ojos. Se preguntó, con pensamientos vagos, qué pasaría si se permitía una siesta. Los murmullos de la selva le daban respuestas igualmente vagas. Un pájaro cantó cerca. Mucho más arriba, otro lo imitó. Se estiró en la hierba, y se quedó dormida.

Durmió todo el resto de la tarde, y toda la noche, y cuando se despertó era una aurora que podía ser cualquiera, la de un día que parecía lejano, desconocido, olvidado. Un hombre de mediana edad estaba sentado en una raíz cerca de ella, leyendo. Cuando notó que lo miraba cerró el libro, tras colocar entre las páginas la cinta señaladora, y le habló con una cortesía a la que ella se había desacostumbrado.

Fue esa cortesía, justamente, la que hizo que durante la conversación que siguió el intercambio de información fuera asimétrico. El desconocido advirtió que la mujer prefería no entrar en detalles sobre su pasado, y con discreción no hizo preguntas. Supuso que huía de algo, como tantos otros. Sin ir más lejos, sus asistentes y criados habían huido también, y lo habían dejado solo. Cuando se lo dijo, ella se asombró: ¿no estaban, allí en el corazón de la selva, en el sitio más tranquilo y protegido que podía ofrecer el país en esos momentos? Sí, era así, pero precisamente por ello su personal había sentido culpa y preocupación por sus familiares viviendo en ciudades y pueblos expuestos a los trastornos de la guerra, y se habían marchado a compartir su suerte. En cierto modo, había sido una huida al revés. A partir de ese dato, fue desgranando los demás, hasta que la mujer pudo hacerse una idea más o menos completa de la vida y situación de su inesperado compañero de soledad. En cuanto a su aspecto físico, sólo cuando se pusieron de pie y tomaron el rumbo de la casa, que estaba muy cerca, pudo apreciar el rasgo más llamativo: era extraordinariamente bajo, casi un enanito. Durante la conversación no lo había notado: él había seguido sentado en la raíz, pero aun de un hombre sentado se podía calcular la altura; ella no lo había hecho, distraída por otros rasgos de su interlocutor: la mirada bondadosa, la dicción culta, sosegada, absorbente.

Su nombre era Eugenio. Era científico, especialista en enfermedades cerebrales. Se había retirado a la selva años atrás, cuando estallaba la guerra civil. El incendio que destruyó parte del Museo de Ciencias (la parte donde se hallaban sus oficinas y salas de práctica) fue la excusa que necesitaba para retirarse. Hacía tiempo que abrigaba el proyecto de hacerlo, después de llegar a la conclusión de que sólo en el aislamiento podía aspirar a descubrir algo más allá de lo trillado en su campo de investigación. Había adquirido un «cubo de selva», denominación bajo la cual vendía el Estado las parcelas en aquel entonces, construyó una casa, instaló un pabellón de trabajo, y se radicó allí, donde pensaba seguir el resto de sus días. Y quizás lo hiciera después de todo, a pesar de la defección de su personal.

A la oferta de alojamiento por esa noche, que ya estaba cerrando cuando llegaron a la casa, le siguió una más amplia. La mujer podía quedarse indefinidamente, todo el tiempo que quisiera o que tardaran en resolverse sus problemas (no preguntó cuáles eran). Ella agradeció y preguntó qué podía hacer a cambio. Eugenio hizo un gesto abarcativo: la desaparición de la servidumbre había dejado vacantes todas las tareas de la casa y el complejo: cocinar, limpiar, lavar, ocuparse del jardín, la huerta, los animales... Había para elegir, dijo con una sonrisa. Por supuesto, aclaró, no le estaba proponiendo que se ocupara de todo. Con que hiciera lo mínimo, él le estaría agradecido.

Así se inició una etapa de paz en la aguerrida existencia de la mujer, un momento de distensión presidido por el hombrecito fino y bondadoso. Él no tuvo necesidad de interrogarla para suponer, con razón, que estaba huyendo. No estuvo tan acertado, en cambio, en la suposición de las causas. Fue una hipótesis delirante, fruto de su pura imaginación, y no valdría la pena mencionarla si no fuera por las funestas consecuencias que tuvo a la larga. Lo delirante de esta construcción imaginativa provenía de su confianza en lo verosímil, debida quizás a su formación científica. Era un hombre de imaginación limitada, y por esta misma limitación podía ir muy lejos, no impedida por ninguna formación mental extraña. El verosímil al que recurrió esa vez fue la situación del país, de la que estaba al tanto a pesar de su aislamiento; pero procesaba los datos a su modo. La lista de datos comenzaba con el hecho fehaciente de la guerra, que no sólo se prolongaba desde hacía años sino que había tenido sobrados antecedentes de violencia. Había una proliferación de armas de fuego. Descartes del ejército o de los irregulares quedaban en las casas, hasta en las más humildes, nadie se decidía a desprenderse de ellas, tan peligrosa se había hecho la vida. De algo podían servir. Eran armas defectuosas, el uso que habían recibido por parte de efectivos improvisados confinaba con el maltrato, sus mecanismos delicados habían quedado con fallas o con piezas sueltas que las volvían impredecibles. Todo esto era razonable, y a Eugenio le bastaba con que lo fuera para seguir adelante. Un arma impredecible se podía disparar sola, al moverla o sólo tocarla. Y la bala, si no mataba a algún miembro de la familia, podía rebotar en alguna superficie dura, de las que hay en cualquier casa. A partir de aquí, el hilo de suposiciones del pequeño especialista en enfermedades cerebrales entraba en un campo del que nadie más que él podía dar cuenta. La supuesta bala escapada accidentalmente del arma vieja y defectuosa que había impuesto el verosímil de la guerra prolongada... podía rebotar, y no una vez sola, porque el rebote tiende por naturaleza a su multiplicación: en una pared, en el techo, en el marco de la ventana, en una olla, en la pata de la cama, trazando líneas invisibles que se cruzaban una y otra vez, en todas direcciones. En esos casos había que desalojar la casa lo antes posible, y esperar afuera a que el movimiento se agotara y la bala cayera al piso, exhausta, al cabo de muchas horas, o días enteros. Como los hombres estaban más tiempo fuera de casa que las mujeres, era probable que el accidente con el arma le hubiera sucedido a esta mujer hallándose sola en la casa. En ese punto la construcción hipotética de Eugenio se encarnaba en figuras concretas, al tiempo que dejaba de ser hipótesis para entrar de lleno en el campo de la ficción. Ella lograba salir, indemne, cerrando la puerta a su paso, y desde afuera oía los «pling» y los «plang» de la bala rebotando y rebotando. Se sentaba a la sombra, contra el tronco de un árbol, a esperar a su marido, para advertirle que no entrara. No contaba con el sueño, que la vencía. La despertaba un ruido sordo, y una aprensión indefinida. La puerta de la casa estaba abierta, el ruido de los rebotes no se oía. Presa de la angustia, corría, y veía a su marido tendido en el suelo, muerto. El sentimiento de culpa (por haberse quedado dormida y no haberle advertido a tiempo del peligro) la trastornaba, y temiendo que la culparan de homicidio emprendía una fuga que llevaba al corazón de la selva. Eugenio se autoconvenció de que así habían pasado las cosas, pero nunca, hasta el momento fatal, hizo la menor alusión.

La casa del pequeño científico estaba en un claro, sobre la orilla de un arroyo. Seguía el modelo de las casas coloniales indochinas, con amplias pasarelas en todo el perímetro, tabiques internos de tela laqueada y postigos de aluminio. Un molino de paletas movido por el agua la proveía de electricidad. La mujer encontró un considerable abandono; hacía un par de meses que Eugenio estaba solo, y no había hecho más que el mínimo de mantenimiento necesario para su subsistencia. El dormitorio del dueño de casa estaba en la planta alta, y un puentecito de bambú unía su balcón al laboratorio, aislado a treinta metros de la casa principal y elevado sobre pilotes. La mujer se instaló en uno de los cuartos de servicio que se sucedían en arco detrás de la cocina, abrazando un patio seco. Con un gusto que sólo podrían entender quienes hubieran vagado largo tiempo sin hogar, se entregó a los quehaceres domésticos; no había exigencias: a Eugenio le daba lo mismo que barriera o no, que lavara los vidrios de las ventanas o sacudiera las alfombras; tenía en su personalidad un elemento de sabio distraído; no le importaba que la ropa estuviera planchada o que las comidas se repitieran. De modo que ella tenía la agradable sensación de estar trabajando por amor al arte, y se permitía caprichos o bellas asimetrías que a un ama de casa corriente le estarían vedadas.

Eugenio tenía la bendición de encontrarle interés a todo lo que hacía. Si uno de sus experimentos con cerebros deformes le imponía una espera, no se aburría mientras tanto: investigaba en las hojas de los árboles o las alas de las mariposas los formatos posibles de cerebros nunca vistos, y no desdeñaba tareas menos intelectuales, como cavar una tumba para un conejo muerto o clavar un clavo en la pared para colgar un cuadrito. Si en el momento de conocerlo la mujer lo había visto sentado, era porque a veces releía alguno de los libros de su biblioteca.

En cuanto al jardín y la huerta, ponerlos en condiciones habría sido un trabajo de dedicación exclusiva. Aunque Eugenio le dijo que no se preocupara, que a él le gustaba así, la mujer lamentaba que la selva invadiera los canteros y almácigos; optó por reducir todas las plantaciones a una minúscula parcela combinada, que respondía a sus afanes abriendo y cerrando, con «plops» húmedos, sus coloridos tulipanes y lanzando a rodar las coles. Los gansos por su parte habían retrocedido a un estadio semisalvaje, en el que su corpulencia e irritabilidad les daban una ventaja relativa.

De una fuente cercana al arroyo, pero independiente de éste, brotaba un agua que no apagaba el fuego. Era difícil de creer, tratándose de agua que parecía perfectamente normal y potable, pero Eugenio le hizo una demostración convincente. Recogida de la fuente en un balde y volcada sobre una fogata, se deslizaba sobre las llamas sin oponerse a ellas. Debía de tener el mismo peso que el fuego, porque saltaba con él, se dejaba levantar, caía enroscándose en sus lenguas, a las que entreabría o por las que se dejaba penetrar. No se calentaba a su contacto, por lo tanto no se evaporaba ni consumía. Tampoco lo alimentaba; no tenían otro efecto uno sobre la otra que el de la compatibilidad, y casi se diría: la afinidad. Como buenos amigos, como cachorros vivaces, incansables, jugaban juntos formando figuras que se transformaban sin cesar, él poniendo el movimiento, ella los volúmenes transparentes en los que circulaban los más bellos resplandores, inasibles, fugaces.

¡Qué juguete! Ni los niños más ricos del mundo habían tenido uno así. Ni los «efectos especiales» de los más ambiciosos productores de cine habrían logrado algo tan vistoso.

La vida de los dos solitarios tomó un ritmo regular. Era el eterno verano de las selvas centroamericanas. La fugitiva empezó a extraerse, miembro a miembro, de la tensión sobrehumana en la que la había encerrado el crimen. Se sentía segura, en aquella remota intimidad. Descansada, bien alimentada, recuperó sus formas y colores. Al disolverse la máscara de angustia y temor se hacía visible el rostro de una mujer de pueblo, todavía joven y todavía capaz de sonreír con inocencia. Eugenio parecía disfrutar de su compañía, pero sólo en términos de castidad. En las charlas que tenían, en las que él era quien más hablaba, nunca mencionó una esposa o hijos, o una historia familiar. Era difícil calcularle la edad, pero ella le daba unos cincuenta años. Quizás su baja estatura lo había acomplejado y mantenido lejos de las mujeres. Buscando en esa dirección, con típica curiosidad femenina, la mujer llevaba la conversación al tema de los criados que lo habían abandonado, para ver si entre ellos había alguna mujer cuya ausencia él lamentara especialmente. No averiguó nada. Lo más probable, concluyó, era que Eugenio fuera uno de esos hombres que ponen toda su libido en la vocación, y terminan casados con el trabajo.

Pero este trabajo, justamente, era bastante enigmático. Eugenio no había hecho un secreto de su ocupación, que era el estudio avanzado de las enfermedades cerebrales. Estas palabras bastaban para que la mujer tomara distancia del tema, con instintivo rechazo. Era de los que al oír la palabra «enfermedad» cruzaban los dedos con fervor supersticioso, pensando: «Lo único que me faltaba». Por suerte, a lo largo de sus desgracias la salud la había acompañado (cuando todo lo demás la había abandonado). Que el enfermo fuera el cerebro… Nunca lo había pensado en esos términos, pero eran términos que aludían en un tono especialmente siniestro a la locura, ya de por sí temible. El sabio, a cuya atención no escapaban estos temores, le dijo que su campo de investigación abarcaba mucho más que la locura, que de hecho constituía apenas una manifestación pintoresca, casi folklórica, del espectro de patologías cerebrales que eran objeto de la ciencia.

En el cerebro se procesaban todas las percepciones aportadas por los sentidos. Por un motivo o por otro, en ese proceso las percepciones se deformaban, o se mezclaban, se fundían unas con otras, una sola se disgregaba, perdían su orden original, se robustecían o debilitaban más allá de su debida medida. Estas modificaciones se escalonaban de lo normal a lo mórbido en una escala continua. La enajenación estaba en uno de los extremos de la escala, pero toda la perturbación cerebral que comportaba ya estaba anunciada en las alteraciones perceptuales menores, incluidas las que se daban en plena normalidad. Los estudios superiores que realizaba Eugenio abarcaban la escala completa; su campo era mucho más amplio que el de la psiquiatría convencional. De ahí que hubiera preferido el aislamiento para trabajar; no necesitaba examen de pacientes, o sujetos experimentales, sino una concentración particular en la realidad.

Hacía mucho hincapié en la concentración; sin ella, decía, no podía ver la realidad como necesitaba verla, es decir completa, incluidos sus detalles más insignificantes. Debía verlos todos para localizar el que alojara la alteración perceptiva. La selva tropical, con su ecosistema autosuficiente de funcionamiento invariable, le permitía trabajar sin interrupciones ni interpolaciones. Y si bien era cierto que realidad había en todas partes, la de ese virginal rincón olvidado del mundo era la más conveniente para sus operaciones.

Su método consistía en practicarle al mundo objetivo los cambios que en la enfermedad cerebral producían las alteraciones de percepción. Es decir, si una determinada lesión en el lóbulo frontal hacía que una forma ovalada, por ejemplo el huevo de la gallineta, se viera esférica, él modificaba el huevo hasta volverlo esférico... Se limitaba a las alteraciones mínimas y menos importantes, fruto de lesiones casi microscópicas en la corteza cerebral, de las que por lo general pasaban desapercibidas por el afectado. Era de los que pensaban que lo pequeño representaba con ventaja a lo grande.

La mujer, que escuchaba estas explicaciones con un cortés simulacro de atención, no era ninguna intelectual; por el contrario, las urgencias de la supervivencia habían exacerbado en ella el costado práctico, anulando consiguientemente la capacidad especulativa. Sería la cárcel la que se la devolvería; presa, su pensamiento recobraría la libertad. Allí en la selva, en la casita encantada de Eugenio, las teorías le entraban por una oreja y le salían por la otra. Se preguntaba, con una sonrisa comprensiva, si su pequeño amigo no sería un chiflado más, de esos que se apartan de la sociedad para poder ejercitar a gusto sus inofensivas manías.

Sí tenía cierta sensibilidad artística, innata (no la había cultivado, por las duras circunstancias de su vida y su medio), y en ese sentido podía apreciar, aunque muy de lejos y vagamente, el proyecto de Eugenio. Nunca llegó a ver ninguna de sus modificaciones de la realidad, lo que no supo si se debía a alguna falla de su percepción o a que él no había llevado ninguna a la práctica. Debía de ser esto último, supuso, porque las veces que entró al laboratorio anexo a la casa, lo único que vio fueron dibujos y maquetas en papel y cartón, unos y otras tan primitivos y contrahechos que parecían obra de un niño.

La sospecha de que estuviera en compañía de un soñador con tendencia a charlatán no hizo más que aumentar su confianza en él, y algo parecido al cariño, en la medida en que lo permitía su bloqueo emocional. Este bloqueo imponía un distanciamiento infranqueable, el cual a su vez creaba una perspectiva, y en ésta sucedían cosas inexplicables.

Una de ellas, la principal, era el tamaño del personaje. Cuando empezó a ocuparse de la casa, algunos detalles la dejaban perpleja. Por ejemplo la ropa. ¿De dónde la había sacado, tan pequeña? ¿Habría tiendas especializadas en indumentaria para adultos en talles infantiles? Eugenio era muy pulcro en el vestir; a diferencia de otros hombres que al vivir solos en lugares apartados se abandonaban a la negligencia, él se mantenía de punta en blanco. Su guardarropa estaba bien provisto, y las prendas, aunque modestas y viejas, bien cuidadas. Le dijo a la mujer que no se molestara: él podía seguir lavando su ropa como lo había hecho desde la partida de su servidumbre. Pero ella insistió, y se hizo cargo. Cuando colgaba a secar las camisas y los pantalones, no podía creer lo pequeños que eran; más de una vez temió que hubieran encogido en el agua; parecía ropa de muñecas. Pero cuando él se la ponía, le iba bien. Cuando quería remendarle una media, encontraba que la aguja era más grande que la media, lo que hacía muy incómoda la costura. Muchas veces, si estaba en la huerta o dándole de comer a los gansos, o simplemente había salido a caminar por la ribera del arroyo, y miraba la casa desde lejos, la veía tan pequeña que se alarmaba. ¿Cómo podría caber ella, una mujer de tamaño normal, en esa miniatura? Pero cabía. Y cuando estaba adentro y miraba una silla, era el mismo sentimiento, no obstante lo cual cuando hacía la prueba podía sentarse.

No era sólo una ilusión suya; o mejor dicho, era una ilusión basada en un hecho lamentablemente muy real. Eugenio era más pequeño de lo que le convenía, y eso terminó afectando su salud. Ya la había afectado, y él lo sabía. Su muerte estaba próxima. Se lo dijo a la mujer. Para ella fue un golpe. Lo tomó como una manifestación más de su mala suerte. Una vez que había llegado a un refugio seguro, no le duraba. No había tenido tiempo siquiera de acostumbrarse a la calma. Eugenio, enanito estoico, la consoló. Le dijo que cuando se acercara la hora, le haría una revelación que le sería muy útil.

Y mantuvo su palabra. Sólo que esperó demasiado, así que tuvo que abreviar su confesión, porque la muerte se precipitaba, quizás ella también confundida por lo pequeño de su presa. Tuvo que hacer un resumen, pero a su vez al resumen también tuvo que resumirlo, porque perdió tiempo en reunir sus ideas, acordarse de lo que pretendía decir, y encontrar las palabras. La confesión se refería a una mentira por omisión de la que se sentía culpable. Aunque no tan culpable, porque lo que le había ocultado a la mujer, se lo había ocultado por poco tiempo, no mucho más del tiempo que ella necesitaba para reponerse de las exigencias físicas y psíquicas de la huida. ¿Y por qué lo había hecho? Para tener su compañía durante ese lapso, para que no regresara de inmediato a su lugar de origen, como lo haría seguramente cuando oyera lo que él tenía que decirle. En su pequeño corazón había anidado un sentimiento hacia la desconocida. No se lo había confesado. Sabiéndose condenado por su tamaño, no la había querido comprometer; y además el secreto que guardaba la definía como casada, no como viuda, que era lo que ella creía. Ese secreto, lo que no le había dicho, era que las balas que rebotaban largamente dentro de una casa eran de goma, no de plomo. Si hubieran sido de plomo no habrían rebotado tanto. De modo que el marido que ella había creído muerto en realidad había estado sólo desmayado, pues una bala de goma no mata a nadie pero puede atontar, si pega en la sien. Ella, desesperada por la culpa, no se había detenido a confirmar si estaba muerto, y había huido sin más.

Explicar los motivos que lo habían llevado a ocultar este dato, y el contexto mismo del dato, estaba fuera de cuestión por el poco tiempo de que disponía, así que se limitó a decirle, en el último susurro que pudo emitir, que el hombre de cuya muerte ella se sentía culpable en realidad no estaba muerto… Dijo «el hombre» y no «su marido» porque no sabía si estaban legalmente casados, y no quería ofenderla. En el interior salvadoreño muchas parejas lo eran de hecho, sin papeles, y un resentimiento de clase siempre estaba latente en el tema.

La mujer, siguiendo sus instrucciones, se había inclinado para oírlo sobre la camita que le parecía del tamaño de un estuche de anillo; se irguió con un gesto de perplejidad. No sabía cómo Eugenio podía haberse enterado de su crimen, y menos aun cómo había sabido que su víctima no había muerto. De la extraña fantasía de Eugenio sobre la bala que rebotaba nunca había tenido noticia, porque él no se la había contado. Pero no necesitó saber cuáles eran sus fuentes de información. De pronto, sentía un inmenso respeto por su saber. Un ser de esas dimensiones, pensaba, debía tener acceso a repliegues de la realidad que le estaban vedados a los hombres de tamaño normal. Tomó la decisión de volver. Antes, se despidió de su amiguito muerto. Lo vio del tamaño de una bacteria. Pensó, quizás por contaminación con la noticia que le había dado, que no había que descartar una resurrección. La miniatura, que tenía de por sí algo de duro y resistente al tiempo, podía actuar como preservante, y alguna vez, cuando las condiciones del mundo cambiaran, un hombre como él podría volver a ser viable, y revivir, así tardara mil años.

En alas del malentendido, la fugitiva volvió sobre sus pasos, rehizo al revés el camino, y éste la llevó primero a los suburbios de San Salvador, y de ahí al centro de la ciudad, a la casa donde había sucedido el crimen... La estaba esperando la policía, y fue aprehendida por homicidio.

Dos sentimientos contradictorios confluyeron en la ocasión. Uno era el estupor de comprobar que a pesar del tiempo transcurrido, y los violentos trastornos que seguía sufriendo el país, su caso hubiera seguido vivo, y hubieran seguido buscándola, con tanto ahínco que a los pocos minutos de haber vuelto a la escena del crimen ya la capturaban. ¿Siempre sería así? ¿Serían tan implacables con todos los que quebraban la ley? No podía evitar pensar que se habían ensañado especialmente con ella, pero quizás era lo que sentían todos los delincuentes.

Al mismo tiempo, se daba cuenta de que era inevitable, y se maravillaba, amargamente, de haber creído por un instante en la fábula de su posible inocencia, o de la falta de un resultado fatal de su acto. No se explicaba en qué había estado pensando. En retrospectiva, veía lo absurdo de la suposición. ¡Si había visto, y tratado de lavar, los pedazos de seso y las astillas de cráneo que habían quedado pegadas en las anfractuosidades de la contundente roca de oro con la que le había machacado la cabeza a su víctima! Nadie queda solamente «aturdido» o «desmayado» después de eso. Evidentemente, uno creía lo que quería creer, por absurdo que fuera. El deseo de ser inocente, de borrar un pasado horrendo, la había cegado y llevado a dar crédito, sin pensar, a las palabras del moribundo. Lo que no concebía era que esa ilusión no hubiera sido fugaz y pasajera, desvanecida por un minuto de reflexión, sino que hubiera durado incólume las largas semanas que duró el trayecto desde la selva a la ciudad.

Transcurrió un año en la preparación del juicio, con una pesada burocracia de notificaciones, traslados, cambios de jurisdicción, un papeleo de fórmulas y dialecto jurídico que hacía contraste con el salvajismo de la guerra civil que rugía alrededor. Como pasó ese año en tres distintas cárceles de encausados, en las que había un constante movimiento de entradas y salidas, la mujer estuvo bien informada sobre los vaivenes político-militares que sacudían el país. Oía con avidez las noticias, con el sentimiento, que no la había abandonado, de que en cualquier momento un cataclismo definitivo haría caer los muros de las prisiones, como había sucedido con la Bastilla de la Revolución Francesa. No terminaba de convencerse, con una sensación de perpleja incredulidad, de que su crimen privado y particular siguiera importando cuando arreciaban los combates, las bajas se contaban por centenares cada día, menudeaban los bombardeos, los fusilamientos ilegales y las degollinas. ¿Se habían encarnizado con ella?

¿O la estarían tomando como un caso testigo, para mantener la fachada de una ficticia legalidad? Cada citación, cada traslado a los Tribunales (en un carro blindado desde cuya oscuridad podía oír los tiroteos y las explosiones), le caía como una sorpresa, y no bien hechos los trámites volvía a pensar que un misil o una granada causaría un incendio que consumiría todos esos papeles...

El clima que se vivía en esas cárceles urbanas favorecía sus ilusiones. Era un ambiente provisorio, precario, en el que «podía suceder cualquier cosa». Todo el tiempo estaban ingresando mujeres detenidas por motivos políticos, sospechosas de complicidad con la guerrilla, periodistas, profesoras universitarias, actrices de teatro comprometidas con la izquierda, y una mayoría de esposas, hermanas, hijas de opositores. Todas ellas hablaban de la libertad con sorprendente desenvoltura. Cuando no estaban presumiendo una inminente caída del régimen era porque habían recibido información confidencial de un ataque comando a la cárcel o a un transporte de detenidos. Y si a esas posibilidades no se les podía dar mucho crédito, contaminadas como estaban de recuerdos de películas y series de televisión, no les importaba porque de todos modos se sentían libres, a su manera: decían que nadie podía considerarse libre en una sociedad capitalista burguesa subserviente al imperialismo norteamericano, y que la única libertad que contaba era la militancia emancipadora. A la mujer estos argumentos no le resultaban convincentes, y terminó aislándose, en la escasa medida en que se lo permitía la promiscuidad de los pabellones, al notar que sus compañeras de infortunio no veían en ella más que a la homicida, y ninguna reversión política iba a cambiar eso. Le disgustaba sobre todo la avidez con que esas revolucionarias se le acercaban, como a una celebridad; su caso había ocupado las páginas policiales de los diarios y los programas más truculentos de la televisión. Pero la celebridad deshumanizaba.

Mientras tanto, el Fiscal trabajaba. A la mujer ese trabajo se le hacía misterioso, en parte porque nunca llegó a conocer al Fiscal, ni siquiera supo su nombre, así que en su pensamiento no podía formar el rostro de este enemigo oculto sino con el sonido de la palabra «fiscal». Sabía que estaba reuniendo datos, y buscando las pruebas que los sustentaran. Su objetivo era reconstruir la historia, pero sólo para usarla como punto de partida de los argumentos para condenarla. Y esos argumentos ya estaban actuando, retroactivamente, en la conformación de la historia; argumentos demagógicos y bienpensantes, para convencer al juez. Claro que ella era la primera convencida. Aun así, sentía y lamentaba la falsedad de la historia que se estaba creando en el expediente, falsedad que compartía con todas las historias pasadas. Las únicas verdaderas eran las que se iniciaban, y sucedían en el presente; era una cruel ironía que esas historias verdaderas no tuvieran ningún peso ni consecuencia, y en cambio las otras, inevitablemente falsas, fueran las que determinaban los destinos.

Sí conoció a la abogada. Su defensa había quedado a cargo de una abogada de pobres y ausentes, nombrada por el juez. Era una mujer joven, que aparecía a desgano una vez por mes a verla, y a lo largo de todo el año tuvo primero un brazo (seis meses) después el otro (seis meses) enyesados y colgantes, casi como un símbolo de su impotencia. La única instrucción que le dio fue que no hablara; era uno de sus derechos constitucionales, y al no decir nada reduciría al mínimo los riesgos. De modo que a lo largo de todo el año la mujer se limitó a firmar las notificaciones de indagatorias y careos bajo la fórmula de negativa redactada por la abogada.

Llegó el día en que hubo fallo; le dieron cadena perpetua, y no hubo apelación. La trasladaron al penal de alta seguridad para mujeres en La Peña. No había pasado un mes (que a ella le había parecido un año) cuando la liberaron. Como una autómata, cuando se lo dijeron en la oficina administrativa del penal, firmó los papeles que le tendieron, y de ahí, directamente, la llevaron a la puerta; se había negado a volver a su celda a recoger sus cosas, pues no tenía casi nada, y no quería llevárselo. Tan repentino había sido todo (a diferencia de los trámites judiciales, que se arrastraban meses como mínimo, esto había durado cinco minutos) que no entendía mi podía creer que fuera cierto, pero aun así le dio tiempo para pensar que quería empezar de cero una nueva vida, sin nada que le recordara lo anterior. A partir de este pensamiento, en los días que siguieron fue aceptando la realidad de su liberación. A un albergue de caridad por una noche le sucedió una pensión para excarcelados, y una promesa de empleo; esperando que se concretara, dejó pasar una semana en caminatas por la ciudad y largas ensoñaciones, con la mente en blanco, en parques y ramblas. Pero la semana no había terminado cuando vinieron a buscarla: su liberación había sido un error, una confusión de papeles y nombres, una negligencia de un empleado que había obtenido su puesto no por méritos sino por recomendación y acomodo político. Se deshacían en disculpas. El modo más vigoroso de pedirle perdón fue asegurarle que no habría más errores y que se pasaría el resto de su vida presa. Volvió al penal, preguntándose si lo habría soñado. Sintió que algo se cerraba.

¡Qué historia! Si alguien la hubiera inventado no le habría salido ni parecida, porque la ficción, aunque el narrador que la inventara fuera el más torpe, salía naturalmente más armónica y equilibrada. Las bellas asimetrías que le daban color y suspenso a las historias imaginarias no producían un efecto tan inhumano como el que bañaba la historia real de la mujer, de la presidiaria. A ella misma, a ella sobre todo, le daba una impresión de frenética gratuidad, como si el relato de su vida corriera a un costado de su vida, suelto, autónomo, a una velocidad diferente, y además cambiando de velocidad todo el tiempo. O, perfeccionando el símil, como si su vida hubiera sido una máquina de las que funcionaban apretando un botón o bajando una palanca, pero su operador lo ignoraba todo del funcionamiento, y entonces no podía hacer nada que no fuera deprimirse si no marchaba como se esperaba. De modo que trató de no pensar en lo que le había pasado, y más o menos lo logró, al menos hasta que supo del escultor e inició una correspondencia con él, y la redacción de las cartas la fue llevando a una reconsideración general.

El camino hacia su toma de conciencia fue largo, y empezó, como tantas cosas, con la lectura. En el penal había una biblioteca bastante surtida, de la que las internas, por una tradición que se mantenía, sacaban libros, y los leían. Lo hacían sin apuro, muy poco a poco. Por una fatalidad social fácil de entender, todas las mujeres que terminaban sus tristes andanzas tras las rejas, por lo general con condenas definitivas o equivalentes a lo definitivo, provenían de estratos pobres e ignorantes, en los que el hábito de la lectura no estaba arraigado. De modo que más que leer descifraban; un párrafo les llevaba horas de fluctuantes perplejidades, una página semanas. Pero esta lentitud en cierto modo las reconfortaba, pues la sentían aliada al tiempo lento en que las había puesto el destino. Las historias que contenían esas novelitas baratas se iban desenvolviendo en sus lectoras con una majestuosa parsimonia, y ésta hacía contraste con el vértigo de la acción que pretendían representar. La acción de sus personajes, sus psicologías, los encadenamientos de sus encuentros y desencuentros, y hasta el verosímil que los regía, iba creciendo en las internas al ritmo de las acumulaciones minerales de la geología.

Pero esa acumulación tenía sus saltos. Sucedía que el proveedor tradicional de la biblioteca de La Peña había sido una casa editora que antes de cerrar, décadas atrás, había hecho un gran negocio con la producción de novelas al gusto popular, en tiradas cuantiosas que se vendían a bajo precio en las farmacias. Dejó de existir hacia la época en que comenzaba la guerra civil, y sus responsables desaparecieron sin dejar rastro. Este cierre abrupto de una empresa floreciente dio lugar a especulaciones que derivaron en leyendas. Unas decían que las novelas publicadas habían agotado toda la combinación posible de aventuras, y que una sola novela más comportaría repeticiones. Otras, menos fantásticas aunque relacionadas con las anteriores, preferían suponer que la causa estaba en los lectores: con la cantidad de libros publicados éstos tenían para entretenerse hasta el fin de sus días, beneficio del que también gozarían las generaciones futuras, ya que los libros quedaban. (Una exposición detallada de estas teorías sería más extensa: la fábula en que se apoyaban decía que la editorial había cesado su producción el día mismo en que había muerto el primero de sus lectores; como las novelitas aparecían periódicamente, sólo el primer lector, es decir el que las leyó desde la primera, habría carecido de material de lectura si la editorial desaparecía; todos los demás lectores, al haber empezado más tarde, tenían en reserva las novelas publicadas antes de que ellos se incorporaran. Ese cálculo era discutido, y no sin motivo; más razonables, y demostrándolo con lápiz y papel, otros sostenían que el cese de la producción habría debido producirse el día en que se incorporaba el lector que con lo ya publicado tenía lectura para toda su vida.) Las teorías conspirativas, que nunca faltaban, tejían hipótesis sobre un plan organizado para contaminar y moldear el cerebro del público salvadoreño; una vez logrado este propósito, los conspiradores se habían hecho humo. La coincidencia del fin de la editorial y el comienzo de la guerra apuntalaba las sospechas. Pero la misma coincidencia servía para afirmar una teoría contraria, según la cual una bomba, la primera de la contienda, había destruido las instalaciones (que se imaginaban vagamente, pues nadie sabía exactamente qué espacios e instrumentos se necesitaban para escribir e imprimir novelas). Los más razonables no daban crédito más que a las sanas motivaciones que regían la empresa comercial de índole oportunista, es decir meterse la plata en el bolsillo y salir corriendo antes de que empezaran los reclamos.

Esto último tenía asidero en las prácticas piratas con las que había sido llevada a cabo la operación, y habría quedado confirmado si las internas del penal La Peña hubieran hablado. La editorial (que, dicho sea de paso, se llamaba La Providencia) hizo en cierto momento, que era el de su mayor auge comercial, un gran despliegue publicitario de su decisión humanitaria de donar al penal ejemplares de su producción, para paliar las desventajas de la reclusión con los vuelos liberadores de la fantasía. No se atrevieron a hablar de redención cultural o moral porque el material que ofrecían no era precisamente pedagógico ni formativo. De todos modos, el gesto fue aplaudido, y cuando, inmediatamente después, en caliente, pidieron una reducción de impuestos, les fue concedida. La jugada les salió doblemente bien pues la venta aumentó: al parecer la lectura adquiría un sabor especial cuando se sabía que la estaban realizando al mismo tiempo las más famosas criminales del país. Le daba un cariz de realidad que de otro modo faltaba.

Lo más insidioso fue que no les había costado nada. Pues un defecto insalvable en las prensas hacía que salieran ejemplares fallados, con algunas páginas en blanco intercaladas aquí y allá. Fue precisamente cuando advirtieron la falla que, ante la alternativa de tirar esos ejemplares (todavía no existía la técnica de reciclar el papel) se les ocurrió la idea de la donación.

Las presas, leyendo a su paso lentísimo, encontraban un día al volver una hoja, una página en blanco; su poca frecuentación de libros las llevaba a creer que era lo normal y que así debía ser. Notaban, porque no podían dejar de notarlo, que había un salto en la historia. Por snobismo, por pudor, por no quedar como unas ignorantes, no decían nada. Había libros en los que faltaban unas pocas páginas, en algún caso una sola; en otros, faltaban muchísimas, en algún caso extremo casi todas. Y siempre los blancos estaban intercalados al azar.

Las novelas halagaban, con grosera demagogia, el gusto popular por el melodrama; abundaban en peripecias asombrosas, sorpresas, coincidencias, revelaciones, en todo lo imposible hecho posible por la magia de la literatura barata y sin escrúpulos de calidad. Menudeaban los crímenes, recurso fácil para darle peso a la trama. Como en cada novela se entretejían varias tramas (recurso fácil, a su vez, para dar la extensión que faltaba cuando se narraba en el estilo más simple y directo), no había otro modo de equilibrar el peso de las diversas tramas que poner un crimen en cada una, con lo que la novela terminaba siendo un catálogo de hechos de sangre. No era una lectura edificante, lo que no quiere decir que no fuera adecuada.

La veta del imaginario colectivo que explotó la editorial fue la truculenta, porque era la que contenía más a mano todas las pasiones, en su formato más visible. La escritura, a varias manos, estaba a cargo de un equipo de redactores formado por la empresa con ex periodistas, funcionarios jubilados y estudiantes. La originalidad del producto había salido, paradójicamente, de las exigencias del plagio. En efecto, los argumentos provenían sin mayor modificación de viejos folletines españoles, éstos a su vez enmascaradas traducciones del francés. Para disimular un posible descubrimiento del préstamo, la consigna había sido ambientar las novelas en El Salvador contemporáneo. Los escribas, presionados por las siempre inminentes fechas de entrega, y estimulados en su pereza por la paga escasa (y envalentonados por el anonimato), no iban más allá de los cambios mínimos de nombres (París era siempre San Salvador, pero Madrid también, y Venecia), y la modernización de objetos y acciones (una carroza se volvía un jeep, escribir una carta pasaba a ser hablar por teléfono). Un traslado tan chapucero bastaba para crear una atmósfera ligeramente maravillosa, en la que el anacronismo y el descuido se unían para volver soñada la realidad salvadoreña.

Los crímenes mismos, tan abundantes en las páginas de esas novelas (al menos en las páginas que no habían quedado en blanco), se volvían livianos y sin consecuencias (las páginas en blanco, justamente, escamoteaban consecuencias, y muchas veces la falta quedaba sin castigo gracias a ellas). El homicidio, el saqueo, la piromanía, el secuestro extorsivo y el robo de joyas, al participar de la mecánica narrativa, adquirían una suerte de necesidad propia, tan gratuita como el entretenimiento que proporcionaban. Por una comprensible economía, los autores repetían personajes de una novela a otra, hasta hacer sagas de ciertos héroes, volvedores, inmortales, deliciosamente impunes. Siguiendo la regla de no inventar nada, estos héroes llevaban los nombres de algunos personajes de la Historia del país, ya reales, ya de la leyenda popular, o, lo más común, de una mezcla de ambos.

Curiosamente, no inventando nada era como más se inventaba. Después de todo, la invención no era más que una combinatoria de elementos de lo ya inventado. Todo el trabajo se resumía a liberar esos elementos; lo demás se hacía solo. El tesoro de historia acumulado en un siglo de folletines a plagiar daba material más que suficiente.

El único rasgo de genuina originalidad que tuvieron estas novelas fue el lema que las presidía a todas, impreso en goteantes letras de sangre en un ángulo de la portada: Historias Que Matan. En la portadilla, un breve texto repetido en todas las entregas de la colección, lo justificaba. Y era realmente un hallazgo; una vez que se captaba la idea, asombraba que no se le hubiera ocurrido a nadie antes. Los folletinistas del pasado parecían haber agotado todas las posibilidades de llevar a cabo un crimen, desde las más convencionales, la bala, el puñal, el veneno, hasta las más retorcidas e improbables; no le habían hecho ascos al empalamiento, la incineración, el entierro en vida, el infarto provocado y, cuando intervino la tecnología de anticipación, el rayo aniquilador, el desintegrador de células, la nube abductora teleguiada, el robot... Pero no, a nadie se le había ocurrido usar las Historias Que Matan, al menos en la forma en que las pensaron los editores salvadoreños. Sí se habían empleado canciones asesinas, que inducían al suicidio bajo estado hipnótico, o recitados que llevaban de un modo u otro a la muerte al que los oía (éstos seguramente derivados, con ironía inconsciente, del mortal tedio que producen algunos discursos), o fórmulas que al ser pronunciadas activaban una célula letal del cerebro, o toda clase de encantamientos de viva voz.

Pero todas estas armas actuaban por su soporte, la voz o el sonido, con lo cual todas participaban de lo convencional de un recurso físico, en el fondo no diferente del revólver o el puñal. Las

Historias Que Matan tenían la ventaja, para el criminal que quisiera usarlas contra su víctima, de no depender de ningún elemento material determinado. Como su eficacia homicida estaba en la historia misma, y una historia podían transmitirla muchos soportes diferentes, el «disparo» asesino podía descargarse en forma oral o escrita, cantada, filmada, dibujada, en el lenguaje de las flores, como chiste o charada, como ballet, con mímica... Se abría un amplio abanico de posibilidades.

Lo curioso era que una idea tan buena, y expuesta con tanta claridad en la portadilla de cada libro de la editorial, no hubiera servido nunca como argumento para ninguna novela. Quizás era de esas ideas excelentes y sugestivas en su planteo pero que no sirven en la práctica. Indudablemente, no habría sido fácil usarla en un argumento concreto. Difícil, pero no imposible: habría bastado con poner en escena a uno de esos Genios del Mal, tan frecuentes en la novela de aventuras, misántropo o vengativo, o con ambiciones de dominio; él descubriría las Historias Que Matan al cabo de largos estudios solitarios en su laboratorio... Salvo que su laboratorio se parecería más bien a una biblioteca o al escritorio de un profesor de Narratología... El descubrimiento podría hacerse de forma casual, como se han hecho tantos descubrimientos importantes... Un día, trabajando con una historia, la dejaría al alcance de la mujer que hacía la limpieza, y la vería morir... Después, mediante experimentos bien controlados, afinaría el modo de usarlas; habría que encontrar un buen recurso para que él fuera inmune; y para que la historia matase sólo a la víctima elegida, pues de otro modo una sola Historia Que Mata que se lanzara bastaría para acabar con toda la población del mundo.

Pero esas dificultades técnicas no eran insuperables, sobre todo porque no era necesario resolverlas bien; la novela de consumo popular tenía la incomparable ventaja de neutralizar sus defectos en la precipitación de la fantasía. Quizás un problema mayor habría sido hacer triunfar el Bien y la Justicia al final, porque el héroe que se enfrentara al Señor de las Historias no tendría, en su calidad de protagonista de una novela, defensa alguna.

Con lo que sí se habría podido contar era con la comprensión e interés de los lectores. Si bien sutil, la idea no lo era en exceso, y contenía un aspecto alegórico que habría asegurado la lectura correcta: el lector la habría entendido automáticamente como una exasperación apenas fantástica de algo tan común, experimentado por todos, como las historias que deprimían o entristecían o inquietaban. De hecho, el acervo popular ya contenía Historias Que Matan, en la forma, por ejemplo, de «que Fulano no se entere, porque le partiría el corazón». Más aun, esas historias asesinas inventadas y usadas por un genio criminal no serían sino un modelo reducido, condensado, de la historia de la vida de cualquiera, historia que inevitablemente conducía a la muerte.

En fin, fue una oportunidad perdida de enriquecer la literatura popular. Aunque quizás la oportunidad no se perdió. ¿Quién podría decirlo? Quizás en la literatura, aun la más plebeya y de menor calidad, las oportunidades perdidas eran oportunidades ganadas. Lo demostraba la saga que tenía por protagonista a un célebre bandido del país, el ubicuo Pepe Dueñas. Un centenar de novelas contaban sus aventuras. Si bien era un personaje histórico, que había vivido en un pasado reciente, los hechos reales de su paso por el mundo se habían hecho inseparables de la ficción que los magnificaba o complicaba. Los biógrafos o historiadores serios que pretendieron pasar en limpio su vida y separar la paja del trigo, debieron renunciar. Esto podía deberse a dos causas opuestas: o bien un elemento intrínseco en el personaje alentaba la proliferación de invenciones, o bien esas invenciones, acumuladas sobre un personaje banal, habían proliferado hasta hacer imposible la recuperación de la banalidad originaria.

El único episodio de su vida comprobado de modo fehaciente era el de sus amores con Neblinosa, más precisamente el momento culminante y más espectacular de la relación: el rapto, que además marcó el comienzo de la carrera en el crimen de Pepe Dueñas. Debería haber sido un hecho privado, sin ninguna trascendencia más allá del círculo familiar, pero tuvo una enorme repercusión pública y lanzó su figura al mar de la notoriedad. Fue esta repercusión, que no se debió sino a la fantástica torpeza con que se comportó el héroe, la que confirmó para las generaciones futuras la realidad plena del hecho, pues hubo testigos, relatos presenciales, y registro fotográfico. Esta abundancia documental hizo contraste con la falta del menor registro palpable de sus andanzas posteriores, que se prolongaron por décadas. La discrepancia se interpretó como algo natural, en el sentido de que toda leyenda necesita una base real bien comprobada. Otra teoría, que no excluía del todo la anterior, pretendía que el rapto de Neblinosa no era sólo la única aventura confirmada de Pepe Dueñas, sino su única aventura, a secas; a ella le había seguido un largo matrimonio gris y monótono, del que las aventuras no serían más que fantaseos evasivos. De todos modos, debía de haber algo así como una predisposición legendaria en Pepe Dueñas. ¿Cómo se le habría ocurrido si no lanzarse a la acción con algo tan bizarro como «apoderarse de la mujer amada incendiando el castillo donde ella vive»? La fórmula no pudo salir de una cabeza tan pragmática como la suya. Lo más probable es que la haya leído en una de las novelitas de La Providencia que en el futuro lo tendrían de protagonista.

Claro que Neblinosa no vivía en un castillo, ni era una princesa cautiva, ni la situación se parecía a un cuento de hadas. Pero había algo de todo eso, porque ella vivía en el Palacio de las Ciencias, que originalmente se había llamado Exposición Permanente del Palacio de las Ciencias, título un tanto desproporcionado, del que quedó el nombre corriente con el que se conocía al lugar: la Exposición Permanente. A pesar de nombres tan sonoros era un edificio modesto, casi insignificante salvo por su historia y su función. De hecho, a nada se parecía más que a las chabolas precarias que levantaban los desplazados de la guerra. Su aspecto provisorio, que no condecía con su venerable edad, se debía sobre todo a los materiales empleados: madera, cañas, papel.

Sólo a Pepe Dueñas, o al personaje que hizo de él la literatura y la tradición oral, se le pudo ocurrir una maniobra tan rebuscadamente torpe. Acudir disfrazado de bombero no era, en sí, tan descabellado, si quería pasar inadvertido, ya que los bomberos son un elemento habitual de los incendios. Pero ¿ir antes de que el incendio se declarara, y encima para provocarlo? Era como si lo hubiera pensado bien, pero se le hubiera escapado algún detalle. Como si hubiera planeado con cuidado y malicia, atento al verosímil y la estrategia, la acción en sí, y no le hubiera quedado tiempo o energía para ocuparse de la concatenación lógica de los hechos.

En el mismo nivel de torpeza, pero trasladado al plano material, estuvo el vehículo que utilizó para presentarse en el escenario de su hazaña. Evidentemente había querido perfeccionar el disfraz. Éste ya era increíble: una reunión casual de prendas de uniformes distintos, botas de goma, medallas y condecoraciones en el pecho, un casco de minero, hacha de leñador y una manguera de jardín enrollada en bandolera. El «carrobomba» era un Jeep que había pintado de rojo, y con letras blancas unas leyendas fantasiosas que pretendían acreditar su carácter oficial genuino, pero que la dislexia había vuelto ininteligibles. Unos barriles vacíos, también pintados de rojo, hacían de provisión de agua. Lo único correcto era la sirena, que un mecánico amigo le había adaptado de una ambulancia en desuso; y era precisamente lo que no debía haber usado, pues atrajo a una multitud, que lo vio prender fuego el edificio, después de rociar las paredes con una botellita de nafta, desperdiciar fósforos que no encendían, chocar contra obstáculos porque el casco, que le quedaba grande, le tapaba los ojos, y otras muchas peripecias chistosas. Nadie entendía nada, y eso, sumado a un benévolo concurso de circunstancias, hizo que se saliera con la suya: se fue con Neblinosa. Lo hizo todo mal, pero le salió bien. En cierto modo, concluyeron los testigos, y luego el público en general, había tenido suerte. Y esta suerte, sumada a la cualidad de real de lo que había pasado, fue el fundamento de su fama.

El incendio de la Exposición Permanente marcó una época en El Salvador. Había sido el único Museo de Ciencias del país, y su destrucción fue clamorosamente lamentada por el periodismo. Aunque de inmediato surgieron las críticas, que dieron pie a un debate de amplias proporciones. Se decía que los lamentos por la pérdida de ese tesoro nacional eran hipócritas, pues cuando existía nadie lo visitaba. El interés de los salvadoreños por la cultura era escaso, por no decir nulo. A lo que se respondía que con las urgencias económicas que sufría la población era quimérico esperar que después del trabajo sobrehumano que exigía la subsistencia les quedaran ganas de movilizarse en pos del perfeccionamiento espiritual. A esto se le objetaba que lo único que podía mejorar los estándares de vida era precisamente una elevación del nivel cultural; dejar la cultura para cuando todos fueran ricos era la peor política; y además, existía en el país una burguesía, muy pequeña pero opulenta en razón inversa a su número, efecto de una perversa distribución del ingreso, que gastaba su dinero en viajes a Miami, piscinas y pantallas de plasma de diamante, y no en libros. Los diarios que albergaban esta polémica recibieron centenares de cartas de lectores dando su opinión en un sentido u otro; un número importante de ellas consistía en testimonios de ciudadanos que decían haber frecuentado la Exposición Permanente, y afirmaban que en todas sus visitas se habían visto solos; era un tanto paradójico, pues si bien estos testimonios pretendían ofrecer pruebas de lo poco visitada que era la institución, su cantidad sugería lo contrario. Como demostración de que el desinterés venía de lejos, y de las esferas oficiales, se recordó que nunca se había pensado en organizar visitas escolares a la Exposición Permanente, cosa que en otros países habría sido la primera en ponerse en práctica. La Dirección de Escolaridad respondió que la iniciativa pertinente había existido, pero no había sido posible concretarla debido a lo exiguo del espacio del museo, que no admitía más de dos o tres visitantes al mismo tiempo, y apretados; jamás podrían haber cabido contingentes de treinta o cuarenta bulliciosos alumnos. Cartas de lectores indignados por lo que tomaban por una falacísima excusa ponderaban la amplitud de los salones en los que se exhibían las colecciones, donde habría cabido fácilmente una multitud. El otro bando insistía en la pequeñez, y mandaba a los sostenedores de la grandeza a medir el área quemada. La sugerencia no fue tomada como mero recurso retórico; fueron a medir, pero los resultados no fueron concluyentes: se había quemado una extensión considerable de terreno, pero eso incluía, según los partidarios de la pequeñez, los pajonales circundantes. Ajeno a estas derivaciones de la discusión, y contradictorio a ellas, el Ministerio de Educación hizo una declaración en el sentido de que se habían planeado las susodichas visitas escolares, y si no se habían iniciado era por la simple razón de que se esperaba la inauguración de la Exposición Permanente. La discusión derivó, con cierta incoherencia, a las críticas por las demoras y postergaciones que afectaban a todas las iniciativas de cierta magnitud en el país.

Para entonces el interés había disminuido, y la polémica agonizaba; el público era veleidoso, se aburría pronto si no aparecían datos nuevos; y en este caso no sólo no aparecían datos nuevos sino que los viejos y originales iban perdiendo consistencia a fuerza de contradicciones (pero sin contradicciones no habría polémica, lo que encerraba al asunto en un callejón sin salida).

Algún periodista pretendió, sin mucha convicción, postergar el fin sacando a luz la cuestión del nombre. El adjetivo en «Exposición Permanente» era inadecuado, ya que en la Ciencia no había nada permanente; al contrario, toda permanencia era señal infalible de error o contumacia en disciplinas que casi cotidianamente estaban transformando sus métodos, instrumentos, paradigmas. «Permanente» aplicado a la Ciencia era retrógrado, eclesiástico y oscurantista. ¿Acaso estaban en la Edad Media en El Salvador?

¿Quién había tenido la idea de ese nombre? La serie periodística, ya languideciente, murió ahí, y la pregunta no tuvo respuesta, lo que fue una pena pues siguiendo esa pista se habrían empezado a aclarar los hechos tan extraños que jalonaron la carrera de Pepe Dueñas. Este había desaparecido, llevándose a su amada.

Neblinosa, por supuesto, no se llamaba así. Los salvadoreños podían ser terriblemente extravagantes con los nombres que les ponían a sus hijos, pero no habían llegado a semejantes extremos. Después de todo, el sentido del ridículo regía tanto en los países chicos como en los grandes. «Neblinosa» era un apodo, y no respondía a ninguna característica personal de ella, sino simplemente al nombre tan peculiar de su padre: Neblinoso. El fundador de la Exposición Permanente había sido el Profesor Neblinoso. Él la había organizado según su propio método de clasificación de la naturaleza, método tan escrupuloso y que necesitaba una atención tan continua que lo había obligado a vivir en contacto permanente con las esferas genéticas de sus especímenes y muestras. De ahí venía el adjetivo cuestionado. También era el motivo de que viviera en dependencias de la Exposición Permanente. Vivía muy encerrado, muy dedicado a sus tareas. Pocos lo veían, aun entre los vecinos, pero esto no era de extrañar pues la Exposición Permanente estaba aislada, en medio de terrenos baldíos. Su bajo perfil, y el prestigio un tanto misterioso de los trabajos clásicos que había llevado a cabo con los tres reinos naturales, le habían creado fama de raro. No se le conocía familia, y no trabajaba con ayudantes. Pero, al parecer, tenía una hija. A ella la identificaban menos todavía que a él. Bella, huraña, escondida del mundo, era casi como si no existiera.

Quizás esa ambigua relación con su propia realidad fue lo que enamoró a Pepe Dueñas. Cuando empezaron a tejerse historias sobre la fuga de los amantes, una versión negaba directamente que Neblinosa fuera una mujer. Haciendo pie en su extraño apodo, se decía que durante el incendio, cuando Pepe Dueñas se aventuró en el Palacio en llamas, el calor había hecho estallar un frasco de los expuestos en las salas de la Prehistoria, y del frasco había salido una sustancia gaseosa (la «Neblinosa»). El héroe la inhaló al pasar por allí en ese preciso momento. La sustancia quedó para siempre en su organismo, provocando los efectos que lo volvieron el personaje que fue. El hecho de que ni siquiera una versión tan descabellada pudiera descartarse da una idea de lo mezclados que estaban los niveles de ficción en la saga de Pepe Dueñas.

Lo cierto es que desapareció de la Capital y se hundió en el interior, siempre más lejos. Una vez fuera de la Ley, ya no pudo parar. Las montañas, la selva, las praderas, las blancas playas, eran los escenarios de sus hazañas, que se leían y contaban en la Capital. En un país tan centralizado como El Salvador, con una sola ciudad grande que monopolizaba toda la actividad política, social, económica y cultural, Pepe Dueñas en tanto generador de historias terminó siendo elogiado como el hombre que le dio entidad, así fuera fabulosa, al interior del país. Pero cuando ese mismo interior se volvió territorio de la guerrilla marxista, y la Capital se sintió cada vez más aislada y amenazada, fue otra vez Pepe Dueñas, ahora con signo negativo, el que había creado el campo de batalla, y se lo tuvo por el Enemigo Público Número Uno. Nunca lograban capturarlo, por más destacamentos que mandaran en su busca. Podía estar en cualquier parte; se desplazaba todo el tiempo. Donde estaba, no estaba, y donde no estaba, estaba. Conseguía que siempre estuvieran a punto de atraparlo, lo que era el modo más seguro de que no lo atraparan nunca. Hizo su habitación de la selva, de las aldeas que se sucedían en los valles, de las crepusculares marismas centrales. Donde fuera, gozaba del privilegio del anonimato; pero una vez que se marchaba la gente decía: «¡Era él!». Inconfundible, con sus bigotazos, su sombrero y su habla ruda, era fácil de identificar pero difícil de creer. No se podía creer, sobre todo, que volviera a salirse con la suya. La audacia temeraria era su elemento, escabullirse a último momento ya se le había vuelto una buena costumbre. Menudeaban las trampas y encerronas de la Gendarmería de Bosques y Volcanes. La más común consistía en adelantársele y esperarlo en una aldea en la que pernoctaría; cuando llegaba, todos los habitantes ya estaban aleccionados para actuar con naturalidad, como si nada pasara. El bandido, ya habituado a esas representaciones colectivas, los dejaba actuar, divertido, participando él también del clima de ficción; siempre un paso adelante, se esfumaba un segundo antes de que la superchería se revelara. Tanto se repitió el truco en tantas poblaciones que actuar con naturalidad, como si nada pasara, se volvió un rasgo del carácter nacional. Pero Pepe Dueñas seguía escapándose.

Rodearlo con un cerco armado, con perros y vehículos, tampoco daba resultado. En una ocasión lo tuvieron casi con la espalda contra el paredón de fusilamiento: el paredón mismo lo salvó, pues él había saltado al otro lado y las balas no lo alcanzaron. Robó el camión en el que habían venido los soldados (los dejó a pie) y al alba estaba a medio país de distancia. Abandonó el camión dentro de una antigua mina o excavación arqueológica, donde tardarían años en encontrarlo, y siguió a caballo, tranquilo, tomándose su tiempo. No lo preocupaba estar solo y en terreno desconocido; le daba lo mismo. Necesitaba unas vacaciones, después de las emociones vividas.

Se aprovisionó en un pueblito cuyos habitantes, siguiendo instrucciones de los gendarmes ocultos en los techos, hacían sus mejores esfuerzos por aparentar una imposible naturalidad. Harto de tanta charada, el héroe se marchó espantando a tiros a sus perseguidores y tomó el rumbo del despoblado. Se internó en los espesos yuyales del jaguar y la serpiente.

Fue durante esa huida cuando le ocurrió un hecho memorable, que al encadenarse con otros hechos, en una sucesión pintoresca y accidentada como lo era todo en su vida, lo condujo a lo que se llamó «la última aventura de Pepe Dueñas». No fue la última cronológicamente, pues su carrera siguió; el nombre obedecía más bien a la intención de destacar y aislar, dándole a «último» el sentido de «máximo» o «colmo», como decir que ya no podía ir más lejos...

Atravesaba un claro cuando oyó un rumor, arriba, y levantó la cabeza; se trataba de un avión, muy alto, cruzando el cielo. Eran los primeros años de la aviación comercial, y el paso de un avión todavía era un espectáculo raro, que embelesaba; siempre había ojos atentos, soñadores, que seguían su trayectoria. Esos grandes pájaros metálicos blancos suspendidos en el aire parecían mensajeros de otro mundo. Pepe Dueñas, montado en su caballo Juanillo, recortados ambos en las primeras penumbras del crepúsculo contra un cielo teñido de rosa y malva, fijaba la vista en el avión de Pan-Am que se desplazaba de Norte a Sur. Brillaba como una joya de oro; allá arriba todavía alcanzaba el rayo del Sol, que había desertado de la superficie de la Tierra. El lejano susurro de los motores resonaba en otra parte, como si el aire mismo, en su inmensidad vacía, hiciera de cámara de ecos.

Pasó un minuto. El avance del avión tenía algo de sobrenatural por la lentitud, esa inexplicable lentitud de lo que vuela a mil kilómetros por hora. Había cruzado la mitad del cielo y estaba sobre él. Pepe Dueñas no despegaba la vista. Sentía a su alrededor en la tierra ya oscura el bullir discreto de los animalitos nocturnos que salían de sus madrigueras. A lo lejos, el grito de un pájaro. Velos de carmín ondulaban sobre las montañas distantes. La luz se oscurecía, y en lo alto el avión brillaba más y más.

En ese momento vio desprenderse del avión un avioncito exactamente igual pero tan pequeño que sólo podía caber un hombre en él. Con infinita gracia, el avioncito giró una vez, otra, hizo una pirueta, volvió a dar una vuelta en redondo, fue arriba, abajo, imprevisible como un niño o un insecto, un juguete mecánico, hasta tomar una dirección en ángulo a la que llevaba el avión, y hacia abajo; pero para entonces ya se había desprendido del avión otro avioncito, que daba las mismas volteretas que el anterior, y mientras las daba se desprendía un tercero, y un cuarto casi a la vez, del otro lado; cada uno se llevaba una ventanilla, y dejaba un hueco con su forma en el avión, que se desagregó aceleradamente hasta que en el cielo sólo hubo un enjambre de avioncitos unipersonales de Pan-Am, brillando como dijes de oro en el plano de la última altura donde todavía alcanzaba el Sol ya oculto bajo el horizonte. ¿Cuántos había? ¿Cien, doscientos? Evidentemente, era uno por cada pasajero. Como iban en descenso, se fueron perdiendo, a lo lejos, en las sombras que subían de la Tierra, cada uno una chispa de luz que se apagaba.

Era la primera vez que Pepe Dueñas veía la generación de aviones, y quedó maravillado y emocionado. Era un proceso vanguardista entonces en la ciencia del viaje, que permitía personalizar los destinos. Con lo que se remediaba una falla que habría podido ser fatal. En efecto, el avión original, si bien deslizándose allí en el cielo se veía muy ágil, era en realidad un enorme aparato pesadísimo, entorpecido además por la forma, que lo hacía incómodo de maniobrar en tierra; jamás habría podido entrar en lugares pequeños, los lugares a los que realmente la gente quería ir. No obstante, sin esa forma no habría podido despegar y sin ese tamaño habría sido antieconómico para la compañía. Pero al no poder acceder a los rincones deseados, frustraba a los viajeros que pagaban el costoso boleto. El conflicto parecía irresoluble, al punto de amenazar con una muerte prematura a la industria de la aviación comercial. La solución, esa encantadora cariocinesis de piruetas, fue una verdadera lección del capitalismo al mundo primigenio.

La primera división en avioncitos individuales no era más que el comienzo, pues en virtud del mismo proceso cada una de esas diminutas réplicas se dividía a su vez en otras más pequeñas, llevando lo individual a un nivel más fino, y luego a otro y otro, de modo de llegar a aviones realmente pequeños, capaces, ellos sí, de entrar por los intersticios de las estructuras moleculares del mundo, o de una familia, o de una historia de amor, o hasta de la nacarada protección de un molusco. De ese modo el punto de llegada de un viajero podía estar ya no en un molesto y atestado aeropuerto de una pantanosa provincia tropical, sino en la articulación en la pata de un mosquito, o el grano de polen de un nenúfar, o dondequiera que lo decidiera el capricho poético.

En la vida de Pepe Dueñas hubo un antes y un después de esa visión. Mil pensamientos relativos a ella lo ocuparon en las horas siguientes, mientras cerraba la noche y Juanillo lo llevaba en dirección desconocida. En realidad los pensamientos en estado puro no lo habrían absorbido tanto: no era un intelectual. Pero en esta ocasión venían acompañados de imágenes, las más bonitas y entretenidas que hubieran aparecido en su mente en mucho tiempo. Cuando se extrajo, con un sobresalto, de su fuero interno, se vio frente a una de las Grandes Barreras que la naturaleza había colocado aquí y allá en el país. Se trataba de la mayor de todas, la más famosa e impenetrable, la temible Selva Cinco. Desde la silla de su cabalgadura echó atrás la cabeza para mirar el imponente muro vegetal. La oscuridad de la noche, antes de que saliera la Luna y con la sola luz de las estrellas, volvía a ese lado de la selva una fachada babilónica, sin puertas ni ventanas pero con monstruosas cornisas torcidas, gárgolas de muchas cabezas y amenazantes columnas que eran los árboles. Nunca antes había llegado a esas lindes, y había sospechado que la Selva Cinco era un mito, producto de la fantasía de los viajeros y el anhelo de desconocido de los sedentarios. Y sin embargo ahí la tenía frente a él, más real de lo que le habría gustado. Dejó para la mañana una inspección más detenida, lo mismo que la decisión del camino a seguir para rodearla. Ahora era imposible. Juanillo había quedado paralizado. Se apeó, y llevándolo de la brida retrocedió unos cien metros, hasta un palmar enano que le pareció acogedor. Allí improvisó el campamento. El caballo metía la cabeza desde arriba en la copa de las palmas, tan bajas eran, y devoraba sus bananitas negras. Él encendió un fuego de ramas para calentar el café.

El paso y división del avión de Pan-Am había dejado electrizada la atmósfera superior. El brillo de las estrellas se enroscaba en grandes torbellinos atómicos, inmóviles, que se borraban poco a poco. Por asociación de ideas, Pepe Dueñas pensó que los avioncitos menores, después de mil o dos mil subdivisiones, podrían haber entrado hasta en la Selva Cinco, donde nadie había entrado jamás.

Las llamitas del fogón atraían polillas pequeñas y gordas, aterciopeladas bolitas flotantes. Al habitual calor de las noches en esas depresiones boscosas lo cortaban láminas de frescura, como biombos que duraban sólo un momento. Los abanicos de las palmas creaban su propio exterior oscuro e interior claro. Pepe Dueñas entrecerraba los ojos, con la voluptuosidad del párpado cansado; no habría sido la primera vez que se dormía sentado.

De pronto, al crepitar de la llama, ya en estado de mínimo, se sumó un gemido, muy tenue, muy apagado. Podría haber sido el lamento de una polilla al morir. O un mono atragantado, a diez kilómetros de distancia. O la nada, pagando por su existencia y esperando el vuelto. Miró a Juanillo, radar infalible: una de las orejas del animal giraba.

Fue a ver, con el revólver en la mano. No quiso salir del abrigo del palmar, intimidado por la presencia monumental de la Selva Cinco, pero desde donde estaba tenía una buena vista de la muralla arbórea, más allá de la cual la oscuridad era completa. La fama que se había hecho esa selva equivalía a la de un agujero negro geográfico; la tiniebla y lo impenetrable le eran propios; pero quizás el efecto, por lo menos de noche, se debía al plateado de los rayos de Luna en las masas de helechos que hacían de telón vegetal de esos misterios. Los gemidos se repetían. Alrededor de ellos, un silencio insondable. Otra vez... ¿Era un gemido, o era la palabra «gemido»? Se lo preguntó porque se le ocurrió que alguna vez, cuando contara sus aventuras, e hiciera con ellas, al hilo de sus andanzas, una descripción de los prodigios y terrores del país, podría decir que «lo único que había logrado salir nunca de la Selva Cinco había sido un Gemido», y que él había estado allí para oirlo. Ese bonito detalle narrativo quedó desvirtuado de inmediato, porque lo que salió no fue exactamente un gemido puro.

Los helechos se agitaron, revelando su espesor; sus ondulaciones creaban formas momentáneas, de un gris brillante con forro de negro. Comenzaron a entreabrirse, y el gemido se hizo oír una vez más, aproximándose pero en los giros de una insinuación sombría, que a la vez que lo acercaban lo alejaban. Un cuerpo se abría paso. Era incoloro y venía a nivel del suelo. Una cabeza en punta empezaba a asomar de las válvulas de la vegetación nocturna. Pepe Dueñas sintió un escalofrío en la espalda. Amartilló el revólver, y el «clic» hizo que todas las estrellas del cielo, de la mitad del cielo que correspondía a El Salvador visible, detuvieran por un instante sus vertiginosos circuitos. Pero lo que salió no fue otra cosa que un perro. Un perro grande, blanco, de pelo erizado. Aunque era grande se lo notaba inofensivo. Más aun: temeroso. Sus pasos eran vacilantes. Movía las patas muy lento, pisando con cuidado, lo que producía una impresión de balanceo en la tierra, en la penumbra, en la noche toda. A intervalos se detenía y lanzaba un gemido agudo, con un sonido interrogativo, como si pidiera ayuda. Bajo la Luna, que se concentraba en él, su figura gruesa y torpe se borroneaba y volvía a aclararse.

Pepe Dueñas, sin guardar el revólver, avanzó unos pasos saliendo de la sombra espesa del palmar. No pareció que el perro lo percibiera; la tan elogiada finura de los sentidos de los animales no se manifestaba en este caso. Silbó, bajo pero audible. El perro se detuvo, desconcertado. Soltó otro gemido, más interrogativo que antes. Se entabló una especie de diálogo de silbidos, gemidos, y pasos, en el curso del cual se fueron acercando. Era un perro ciego, uno de esos seres en los que la falta de uno de los sentidos crea un psiquismo afantasmado y místico. Se dejó acariciar, pero no quiso sentarse ni echarse. Levantaba el hocico, le temblaban las orejas. Unos resplandores muertos le recorrían los ojos muy abiertos. Seguía intranquilo a despecho de las palabras amigables del hombre. Intentó conducirlo, palmar adentro, hasta el fogón, pensando que los temblores podían deberse al frío. Se resistía, cada vez más nervioso, como si presintiera algo inminente...

Un gemido. Lejano, débil. ¿Salía de su estómago? ¿Era ventrílocuo, además de ciego? Las orejas, dos pequeños triángulos grises en la máxima tensión de la curva de los cartílagos, giraron sobre sí mismas, en una invaginación irracional. Pepe Dueñas se desorientaba dentro del fulgor oscuro que emanaba del animal. Al fin, se hizo evidente que el gemido provenía, como antes, del interior de la Selva Cinco. Era una repetición perfecta de la escena anterior, con los gemidos igual de espaciados, las ondulaciones de los helechos idénticas, la apertura igual de fluida y oscura... y el mismo perro deslizándose afuera, a la luz de la Luna. El segundo acto de la comedia. Por un momento se preguntó si seguirían saliendo perros toda la noche.

Por suerte no fue así. Los dos ejemplares que habían emergido eran, en su dualidad, únicos. Y al reunirse empezaron a comportarse de modo más normal. Se olían, se rozaban, y terminaron echándose a los pies de Pepe Dueñas, que por su parte se caía de sueño y no prolongó más la velada, después de compartir una lata de porotos con sus nuevos amigos.

Antes de dormirse le dio una vuelta de tuerca a la pequeña frase con la que había esperado lucirse («salió un Gemido») y que se había frustrado con la aparición de los perros. Ahora podría decir, mintiendo poco, que dos perros ciegos habían estado esperando dentro de la Selva Cinco a que él estuviera a mano para salir a buscarlo y conducirlo adentro y revelarle los secretos de lo impenetrable.

Se despertó con la misma idea con la que se había dormido; su cerebro era lo pertinaz por excelencia. Pero las primeras impresiones de la vigilia no fueron muy auspiciosas. Los que bajo los rayos de la Luna le habían parecido mágicos mensajeros de lo desconocido, en la prosaica claridad del día no eran más que dos vulgares perros hirsutos y abandonados. Para colmo, ciegos. ¿Cómo habrían sobrevivido, sin dueño? No parecían tener la agresividad necesaria para arreglárselas solos.

Aun así, cuando después del desayuno montó a Juanillo, chistó para que lo siguieran, y fueron con él. Y en cierto modo lo condujeron al interior de la Selva Cinco, no por guiarlo físicamente pero sí por inspirarlo; él nunca se habría decidido a entrar si no los hubiera visto salir... No lo hizo por el exacto punto por el que se habían escurrido la noche anterior. Quiso evitar esos helechos espinosos, no tanto por él como por Juanillo, que era un caballo quisquilloso y con mil remilgos. A poca distancia encontró un acceso más razonable.

Cabalgar dentro de la Selva Cinco era un trámite bastante sinuoso. Se esbozaban caminos, pero caminos de puro azar, sin ton ni son. La única referencia era el Sol, que subía al otro lado de troncos y copas de los árboles, marquesinas y tenderetes de calado caprichoso. Las aves cantaban, los insectos zumbaban, los monos chillaban, y las viborillas se escurrían por las ramas. El aire era fino y húmedo, casi siempre perfumado. Le dio la impresión de que el terreno subía, pero más allá le pareció que bajaba. Se abrían claros de suelo rocoso, esquistos y cuarzos rojizos que debían de ser emergentes de montañas subterráneas. Abundaban unos pajaritos grises, del tamaño de abejas, que soltaban un crujido seco y breve, tan pequeño como ellos, y se desplazaban a saltos de rama en rama.

Los perros trotaban uno a cada lado del caballo. Se entretuvo mirándolos, tan cómicos eran sus tropiezos y choques. La veta filosófica de su espíritu, sobre la que no habían hecho mella las rudezas de la vida fugitiva, lo llevó a preguntarse si acaso él mismo, con sus ojos bien abiertos, no podría ser visto por seres superiores con la misma sonriente compasión con que él veía a los perros ciegos. Y entonces su marcha por la vida, que él presumía tan recta y precisa, se vería como un zigzag empecinado en darse de cabeza contra todos los obstáculos.

Así pasó largo rato, no supo cuánto, sin sacarles los ojos de encima. Apostaba consigo mismo (y ganaba siempre) a que meterían una pata en un hormiguero, o se la enredarían en una mata, o a que irían directo a un tronco, o no esquivarían una piedra que haría resonar sus cráneos. Blancos, llevaban consigo una nube negra.

Al levantar la vista, a la larga, el Sol estaba en una posición por completo diferente de la que lo había visto antes. No podía calcular el tiempo que había pasado; no tenía por qué hacerlo; sus horarios eran por demás flexibles. Pensó en esos maridos que prolongan el trayecto de vuelta a casa, por el desaliento que les causa su mujer. Eso lo condujo a unas melancólicas reflexiones que lo ensimismaron más todavía.

Cuando volvió a prestar atención a lo que lo rodeaba se encontraba ante un racimo de senderos diagonales muy anchos que subían por una ladera pedregosa. Montecillos de caobas y magnolias brotaban de depresiones inclinadas. Al horizonte lo atestaban riscos escalonados, y el cielo, que se había mantenido escondido tras el follaje toda la mañana, se desplegaba en blancos ardientes de mediodía. El Sol, en cambio, había desaparecido. Calculó que, aun marchando al azar, debía de haber llegado al centro mismo de la Selva Cinco, donde la selva cedía al vacío.

Al emprender el ascenso, taloneando a un Juanillo que habría preferido no hacerlo, oyó voces. No las voces aisladas de ninfas y sátiros extraviados, sino el murmullo de una multitud. Pronto se le superpuso el ruido de un motor. Era un jeep, que pasó a su lado sin detenerse. Lo conducía un hombrón torvo, uno de esos indios engordados con el presupuesto nacional; el corte de pelo, el bigote, los anteojos negros, eran signos que Pepe Dueñas había aprendido a leer, y decían «policía». El sujeto lo miró de arriba abajo y siguió, sin saludar. El bandido hizo una rápida composición de lugar: debía de estar pasando algo allá arriba, y estaría acudiendo gente en cantidad suficiente como para que uno más (él), no llamara demasiado la atención; de otro modo, el facineroso del jeep se habría detenido a interrogarlo. Pues bien, se haría pasar por un hacendado de los Campos Fértiles, viajando a Sonsonate a comprar cebúes. Le gustaba inventar estas personalidades ficticias, que le daban amplio campo a su fantasía; a veces pensaba que era lo más interesante de estar fuera de la Ley, y que eso solo hacía valer la pena estar fuera de la Ley. Empleó el tiempo del último tramo en inventarse un nombre; se decidió, bromista y enigmático, siempre jugando con fuego, por «Paco Inquilinas».

Cuando llegó al borde superior, un espectáculo insólito se abrió ante él. Antes de empezar a intentar explicarse de qué se trataba confirmó que había llegado al centro de la Selva Cinco, donde estaba el lago que le daba vida. Pero el lago estaba medio vacío, y una muchedumbre se agitaba en sus aguas bajas ejecutando trabajos, urgentes a juzgar por las carreras y los gritos. Grandes tinas móviles rodeaban la orilla; a ellas se dirigían corriendo los que salían del lago, llevando... ¿qué? ¿Peces? Sí. Brazadas, manojos, de peces vivos, de escamas brillantes como lentejuelas y ojos despavoridos. Se diría una fiesta ritual, en la que participaba toda una comunidad, incluidas mujeres y niños, éstos últimos los más activos.

Pero una fiesta habría tenido música y disfraces, y esto era todo trabajo, hecho con tanto apuro que habría parecido angustioso de no ser por las risas. Se parecía más a una operación de salvataje; quizás la población del lago estaba amenazada por la contaminación o el desecamiento, y los bañistas querían preservar la vida de las aguas. Pero mirando mejor vio que había algo más que una mera iniciativa vecinal de buena voluntad. No estaban improvisando. Por lo pronto, los recipientes a los que trasladaban los peces no eran los que habrían usado los nativos, sino cubetas con ruedas y llamativos dispositivos de oxigenación.

Y además, a un lado había carpas, camiones, grúas, equipos electrógenos. Se realizaban trabajos de envergadura. «Están transportando el lago a un lugar más seguro», pensó. De inmediato le pareció absurdo, como lo era en realidad. Resolvió averiguar, a pesar de que la prudencia le mandaba alejarse. Las carpas y vehículos tenían logos ministeriales, y no era improbable que el ejército tuviera que ver en el operativo. Pero estaba acostumbrado a meterse en la boca del lobo, se le había vuelto una segunda naturaleza.

Empezó a rodear el perímetro, divertido con las zambullidas y chapoteos a que daba lugar esa pesca tan peculiar. A primera vista había creído que se trataba de una multitud de miles, pero comprobaba que no eran tantos: apenas unos cien. El movimiento los multiplicaba, y todos se habían metido al agua, salvo un hombre alto y flaco, rubio, que contemplaba sonriente desde la orilla. Fue hacia él y se presentó, en su falsa identidad. Entablaron conversación.

—Qué bonitos sus perros gemelos —dijo el hombre alto inclinándose a acariciar al que le había quedado más cerca.

Hablaba con marcado acento extranjero.

—¿Perros? Ah, sí… Veo que me siguieron. Me había olvidado por completo de ellos.

—Es comprensible: usted estaba absorto en el espectáculo del lago, que no es algo que se vea todos los días, ¿no? –Señalaba con el mentón, muy prominente, el bullicio en las aguas.

Fue un buen pie para pedir una explicación. Siempre con el acento extranjero, e intercalando algún que otro giro sintáctico extravagante, el hombre lo satisfizo. Estaban desagotando el lago, dijo, y habían venido preparados para salvar a sus peces y mantenerlos con vida hasta que volvieran a llenarlo. Pero, aun preparados, no habían contado con una población subacuática tan abundante. Lo que habían planeado como una operación marginal, de pocas horas y a realizar con el personal contratado, ya llevaba un día y medio y había requerido la colaboración de toda una aldea vecina. Colaboración prestada de buen grado, como podía verse.

En efecto, aquello era un divertimento generalizado, y frenético. Hombres, mujeres y niños se afanaban en atrapar los peces, entre gritos y risas, bromas y chapuzones. Había unas pocas nasas, y algunas redes improvisadas con cuerdas y alambres, pero la mayoría lo hacía con las manos. La naturaleza característicamente resbalosa del pez volvía difíciles las maniobras, y más divertidas, a juzgar por la ensordecedora jarana. Y era realmente sorprendente la cantidad. Reunidos en la poca agua que quedaba, y a pesar de que ya habían sacado millares, los peces formaban una masa casi sólida, moviéndose locamente; bastaba hundir las manos para tocar uno, y levantarlo; lo difícil era aferrarlos; no bien alguien lograba asegurar uno, corría con desesperación hacia una de las tinas. Se formaban grupos de hombres para sacar las anguilas, que eran enormes e incómodas de manipular.

Precisamente después de sacar una y echarla en la tina más próxima, tarea que los exigió a fondo, dos jóvenes vinieron hacia donde estaban Pepe Dueñas y el extranjero alto. Éste le dijo al bandido que eran dos de los tres estudiantes de Hidráulica que estaban haciendo una pasantía con la cuadrilla. Los jóvenes saludaron alegremente, acariciaron y elogiaron a los perros, y se sentaron a fumar, mirando el lago y haciendo comentarios. Uno de ellos señaló con el dedo y le dijo al extranjero:

—Su Negrito nunca se divirtió tanto, Ingeniero.

—Sí, ya veo. Lo estoy vigilando.

Pepe Dueñas no consideró inapropiado pedir una presentación, ya tan postergada, de su interlocutor:

—¿El señor es Ingeniero?

Era un ingeniero belga, especialista en Hidráulica Avanzada, puesto al mando de la delicada operación en marcha. Los detalles fueron surgiendo de a poco en la charla. Tiempo atrás se había detectado una pérdida en el lago, debida a una fisura en su lecho de roca. La comisión técnica enviada por el gobierno, tras realizar estudios en el lugar, había concluido que si bien el desagote era mínimo, convenía efectuar la reparación. Se tomaron las medidas necesarias, a pesar de un áspero debate entre funcionarios, que repercutió en el periodismo, poniendo lado a lado el costo millonario de los trabajos y la magnitud casi nula del problema (la disminución del nivel del lago por la pérdida del agua se había calculado en un milímetro por año). La disputa se zanjó con el argumento concluyente de un crédito que otorgaba la Unesco, para la conservación de lo que estaba catalogado Patrimonio de la Humanidad. La contratación del ingeniero belga, suprema autoridad en la materia, venía enganchada a este crédito. Estaba al mando de una cuadrilla de diez hombres, a los que se habían sumado veinte contratados en una aldea vecina. El resto de la población de la aldea había acudido, más por diversión que por interés, a ayudar con los peces, cuando la cantidad de éstos se reveló tan cuantiosa.

Calculaban que tendrían para un día más, antes de que pudieran pasar a los trabajos del vaciado total del lago y proceder al sellado de la fisura. Pepe Dueñas compartió en la carpa VIP el almuerzo con el Ingeniero, los estudiantes de Hidráulica, y el Capataz, que era el sujeto sombrío que había visto en el jeep al llegar, y que, fiel a la primera impresión que le había provocado, siguió hosco, mudo, y mirando a Pepe Dueñas con desconfianza. Con la percepción afinada por sus correrías, Pepe Dueñas adivinó en el Capataz antecedentes policiales o militares. Ninguna cuadrilla del gobierno se internaba en los convulsionados departamentos selváticos sin un representante de las fuerzas legales. Al estar patrocinada por organismos internacionales, esa protección había venido, supuso, disimulada.

Otro personaje que apareció mientras comían fue el mencionado Negrito, que era eso, precisamente, un negrito que el Ingeniero había traído como souvenir de su paso por Panamá, donde había estado trabajando en el Canal. Era un niño de edad indefinida, gracioso y movedizo como un mico. Se hizo instantáneamente amigo de los perros, como todos los demás del grupo. Los dos animales, torpes, lentos, inexpresivos, se volvieron las mascotas de la Operación Fisura. Le preguntaban a Pepe Dueñas desde cuánto los tenía, cómo los había obtenido y mil cosas más, a las que él respondía con historias que no le costaba mucho inventar.

Una de las anécdotas que se contaron entre risas durante el almuerzo fue la de los pescadores, que se habían acercado esa mañana para ver los trabajos. Eran hombres de poblados vecinos, que acudían desde hacía años a practicar su deporte de paciencia al lago. Ante el espectáculo que se ofreció a sus ojos habían manifestado una cómica indignación: a ellos los peces los hacían esperar durante horas para dignarse a morder el anzuelo, haciéndoles creer en una escasez que hacía raro y precioso cada ejemplar. ¡Y se lo habían creído! ¡Qué ridículos se sentían en retrospectiva, al recordar los ruidosos festejos con los que celebraban un menudo bagre, las fotos que se sacaban, la competencia entre ellos, la plata que habían gastado en aparejos más eficaces y en cebos más suculentos! Y ahora tenían que sufrir la humillación de ver el grotesco exceso de la superpoblación oculta bajo la superficie, y niños tomando con la mano carpas de cinco kilos...

El tenor de sus protestas, que había incluido roturas de cañas y juramentos de no volver a pescar, provocaba la hilaridad de los estudiantes y el Ingeniero. A Pepe Dueñas en cambio le hizo pensar que el mito de la Selva Cinco, el impenetrable sanctasanctórum de la Naturaleza, era un fraude, si los pescadores se entretenían en su lago central, y había nativos que la cruzaban y hasta parecían vivir en ella, y el gobierno mandaba una cuadrilla a hacer reparaciones no bien se descubría una gotera... Quizás, pensó, la Selva Cinco era impenetrable por fuera, y por dentro era un lugar como cualquier otro.

El traslado de los peces duró toda la tarde, y todavía quedó un remanente para el otro día. Pepe Dueñas no participó en el trabajo pero se quedó en el sitio, charlando con el Ingeniero, que tampoco se metía al agua, recorriendo en su compañía las tinas que se llenaban con los elegantes habitantes del agua, y contemplando el colorido ajetreo, que se prolongó hasta la llegada de la noche, cuando los nativos se retiraron, y los estudiantes, los técnicos y los obreros contratados se secaron, se vistieron, y se dispusieron a cenar.

Aceptó la invitación a pernoctar con ellos. El Negrito, le dijo el Ingeniero, no habría soportado que lo separara tan pronto de los perros, en los que había encontrado un doble juguete vivo que le encantaba. El Ingeniero le daba todos los gustos. Pepe Dueñas, a quien no le habría costado nada desprenderse de esos estólidos animales, dijo, en beneficio del verosímil, que la separación sería inevitable pues él nunca viajaba sin sus perros. El Ingeniero lo tranquilizó: al Negrito esos entusiasmos se le pasaban pronto. Ya vería cómo al día siguiente no les prestaba más atención.

Lo miraron. Negro como la noche que lo envolvía, el niño jugaba con los dos perros blancos; su silueta se recortaba sobre el fondo de ellos, como un vacío móvil de formas cambiantes.

Al día siguiente continuó el desalojo del lago, y se prolongó más de la cuenta por el empecinamiento de algunos, de los niños sobre todo, por salvar hasta el último pez; y los últimos, por tener más agua por donde escapar, eran los más difíciles de atrapar. En realidad nadie tenía apuro; los obreros, los contratados y los de planta, cobraban unos por día, los otros un extra diario por el trabajo en campamento; los estudiantes gozaban de la experiencia como de unas vacaciones, y el Ingeniero se entretenía con sus observaciones del mundo natural y con las cabriolas de su Negrito. Y todos los casados habrían pagado de su bolsillo por extender un poco más el momento de volver a sus esposas. En cuanto a Pepe Dueñas, los perros, providenciales, volvieron a darle una excusa para prolongar su estada junto al lago. La ocasión la dio un curioso malentendido, o contramalentendido: hablando de los perros, en la rueda del aperitivo de la segunda noche, dijo algo en el sentido de que esos animales no habían perdido el gusto por la sociabilidad a pesar de ser ciegos… Esta última palabra dejó atónitos a todos los que lo oían. ¿Ciegos? ¿Que los perros eran ciegos? Pero ¿cómo…? ¿Qué…? Balbuceaban, arqueaban las cejas en signo de estupefacción, no podían articular la magnitud de su sorpresa.

Pepe Dueñas no estaba menos perplejo que ellos. Se daba cuenta de que era la primera vez que decía que los perros eran ciegos, pero había dado por sentado que el hecho saltaba a la vista, y no entendía ni admitía que estos hombres hubieran pasado dos días conviviendo con ellos, y mimándolos, sin advertirlo.

Pasado el primer momento de estupor, se entabló una discusión. Los estudiantes tomaron partido con vehemencia contra la hipótesis de la ceguera. El Ingeniero los secundaba, pero, más prudente o más cortés, dejaba un margen de duda en deferencia a la opinión del invitado, que después de todo, decía, era el dueño de los animales. Los jóvenes fueron a mirarles los ojos, cada vez más convencidos de que estaban ante dos linces. Llamaron a los obreros y los técnicos para que opinaran. La unanimidad era tal que Pepe Dueñas tuvo un momento de duda.

Se preguntaba si no habría estado demasiado seguro de lo que sabía. Confirmaba el dicho: «Cuanto menos se duda, más hay que dudar». A veces uno se hacía una idea errónea de entrada, y esa idea obstruía la percepción de todos los signos que podrían desmentirla, por patentes y clamorosos que fueran. Pero en este caso se resistía a creer que hubiera incurrido en error. Los perros habían aparecido como perros ciegos, y desde entonces se habían comportado como tales.

Por otro lado, la duda tenía sus asideros. Por ejemplo, que fueran dos, e idénticos; ¿tan buena puntería tenía la ceguera, al caer del cielo, para acertarle justo a dos perros idénticos?

Se mantuvo en sus trece, empero. Dijo que había modos de probarlo, pasando una luz ante las pupilas, o encendiendo y apagando una luz... Se lo negaron. Esas pruebas servían con humanos, por determinados mecanismos psicológicos, pero no con perros. Había en cambio otras pruebas, adaptadas al animal, aunque ninguna de ellas podía hacerse de noche. Se las harían al día siguiente. Ansiosos, le preguntaron si se quedaría un día más. Le daban la excusa para quedarse, y él había descubierto un motivo para hacerlo. Con todo, le preguntó al Ingeniero si esas pruebas no demorarían los trabajos; no quería, dijo, ser motivo de perturbación en los planes. La respuesta fue tranquilizadora: después de que completaran el vaciado de peces tendrían que esperar todavía un par de días a que terminara de bajar el agua, y el sonar tardaría veinticuatro horas más en localizar la fisura, y todavía habría que esperar a limpiar el barro del área afectada, y dejar secar... Había tiempo de sobra. De hecho, había pensado invitarlo, si él por su parte no tenía apuro en partir, a cazar conejos...

Ese clima de picnic persistió en los días siguientes, incrementado por los experimentos, siempre variados y de complejidad creciente, para demostrar si los perros veían o no. A pesar de la asiduidad y entusiasmo que pusieron en la tarea, no sólo los hombres de la cuadrilla sino los aldeanos, que propusieron métodos tradicionales de prueba, no se llegó a ninguna conclusión. Era increíble la cantidad de pruebas que había creado el ingenio popular para determinar si alguien podía ver. ¿Tan frecuentes serían los casos de duda?, se preguntaba Pepe Dueñas.

Pero su mayor interrogante seguía siendo otro. No entendía cómo era posible que un sitio tan concurrido como la Selva Cinco, tan ameno y cotidiano, se hubiera hecho la fama que tenía. El mito del bosque secreto, el corazón de lo desconocido, caía hecho pedazos. ¿Todos los grandes misterios de El Salvador tendrían una cara oculta tan banal? La pregunta le importaba, porque él se consideraba uno de esos misterios. Le daba vueltas a la teoría que se había hecho antes, sobre un exterior impenetrable y un interior penetrado desde siempre, conocido, habitado. El mundo se adaptaba a esa definición, pero a costa de postular un anverso y un reverso, y no estaba tan seguro de que fuera así de simple. La vida le había enseñado que en realdiad no había anversos y reversos sino una sola superficie móvil.

Sea como fuera, el interés que habían creado los perros le dio una buena excusa para quedarse unos días más con los trabajadores del lago, ocultando el verdadero motivo que tenía para hacerlo. Necesitaba tiempo para preparar un hurto que, como todos los suyos, haría historia. Ninguna precaución era poca para evitar que fallara el golpe, pues la oportunidad no se repetiría. La cuadrilla había traído consigo nada menos que gel de piedra, un material más valioso que el oro o el diamante, y mucho más escaso pues su fórmula se mantenía en secreto. La producción estaba controlada por organismos internacionales, y había llegado a El Salvador sólo gracias a que la Unesco había sido autorizada por las potencias militares para utilizarla en la reparación de monumentos históricos. Aunque su existencia se mantenía oculta al público, se habían filtrado rumores, y en el submundo de la experimentación ilegal se ofrecían fortunas por una muestra. Vendiéndola de a gotas, su feliz poseedor podía hacerse rico. Era tan portentoso el logro científico de conseguir piedra en gel, que su mero prestigio, alquímico, mágico, excitaba una codicia sin frenos.

Era una oportunidad que el famoso bandido no podía dejar escapar. Estimulando hábilmente la locuacidad del Ingeniero belga, supo que tenían un frasco de un litro de gel de piedra sin diluir. Estaba guardado en una caja de seguridad en uno de los camiones. Una serie de discretas observaciones le permitió conocer su localización exacta, y a partir de ahí empezó a hacer sus planes.

Habría sido un juego de niños sin el Capataz, que, a esta altura ya estaba seguro, era un miembro de las fuerzas de seguridad, abocado a la custodia del tesoro puesto en manos de la cuadrilla. Se habían medido desde el primer momento, y así como Pepe Dueñas había visto a través del disfraz de Jefe de Personal la verdadera personalidad de Vigilante, el otro debía de haber visto al bandido debajo del ganadero errante. Se mantenía aparte del grupo que constituían el Ingeniero y los Estudiantes; a éstos los ignoraba, al Ingeniero le dirigía la palabra sólo lo indispensable. Tampoco se daba con el resto de los hombres, a los que apenas les daba una orden seca de vez en cuando; disponía del uso personal de un jeep, en el que dormía, solo. Parecía siempre en movimiento, siempre con un aire ausente que era la señal más clara de una infatigable atención. Pepe Dueñas sentía en la piel que él estaba en la mira.

Al fin el desenlace se presentó, como casi todo en la vida, de la forma más inesperada y casual.

O no tan casual: en lo más oscuro y callado de la noche, Pepe Dueñas se puso los zapatos subrepticiamente y salió de la carpa en la que dormía, sin un propósito definido, más allá de ver si había alguna posibilidad de alzarse con el frasco. El jeep del Capataz, cubierto de lonas negras y éstas a su vez cruzadas de hileras perfectamente simétricas de gotas de rocío, se hallaba estacionado entre las carpas del personal y los camiones. Era como si el sueño que dominaba a la compañía adensara el silencio. A la derecha, el lago casi seco, apenas con agua suficiente para reflejar una Luna pequeñísima en lo más alto del cielo, y alrededor de ella rondas concéntricas de estrellas. Todo lo cual se repetía en cada una de las gotas de rocío. De las tinas subía un chapoteo aislado, como si los peces dormidos se dieran vuelta en sus lechos líquidos. Juanillo, despierto, movía la cabeza bajo los árboles; no se lo veía, se lo adivinaba. Los perros en cambio brillaban por su ausencia. La visión se precisaba; las pupilas se habían dilatado; de pronto sintió que era todo pupila, porque algo estaba pasando. Tres sombras, tres siluetas humanas en fila, salían de una de las carpas. Tardó en reconocer a los tres estudiantes, pues la actitud que mostraban era muy diferente de la habitual; sus movimientos silenciosos, con pasitos coordinados, eran subrepticios. Él se deslizó tras un árbol para observarlos sin ser visto. Primero pensó en una inocente escapada juvenil, pero no tardó en sospechar algo más grave. Habían ido hacia un montículo, donde se los tragó la oscuridad. Desde allí salió un llamado de lechuza. Todos los sentidos de Pepe Dueñas se pusieron en tensión, al reconocer en ese llamado una señal convenida. ¿Con quién? La respuesta no se hizo esperar. Un grupo compacto de hombres salió de entre los árboles que coronaban la barranca del lado norte: avanzaban agazapados, muy juntos, en posición de combate, y de su masa emergía el caño de un rifle, el brillo de un metal. Se trataba de una operación comando, cuidadosamente planificada. Los estudiantes actuaban de entregadores; su aturdida cháchara, sus risas, sus puerilidades, no habían sido más que una máscara; y a ellos también les habían servido los perros: simulando no creer en su ceguera habían ganado tiempo a la espera de que llegaran los guerrilleros. Y seguramente los falsos experimentos para verificar la visión de los animales les habían servido para obtener los datos que necesitaban para la entrega. Esto último, que pasó como un relámpago por la mente de Pepe Dueñas en el momento de la revelación, le confirmó que todo lo inexplicable o absurdo que pasaba, a la larga tenía un sentido. Pero no se demoró en reflexiones. Había llegado la ocasión que esperaba. Echó a correr sacando el revólver del cinturón y disparó un tiro a las lonas del jeep. En segundos, mientras él se introducía en la caja del camión, el Capataz salía con la escopeta en la mano. El tiroteo no tardó en generalizarse; en la confusión, se apoderó del frasco de gel de piedra, se lo puso bajo el brazo y salió agazapado, corriendo hacia Juanillo. Montó y partió al galope ladera abajo.

El tiroteo arreciaba. Uno de los disparos hizo explotar el tanque de hidrógeno que tenían preparado para el rellenado del lago. Fue como si toda la selva estallara. La noche se volvió, por unos instantes, un día rojo. Pepe Dueñas no se había alejado lo suficiente como para estar fuera de peligro. Sobre todo porque las grandes losas de esquisto granítico que formaban el piso en el que se asentaba el lago se desacomodaron. La selva tembló, y de un instante a otro los planos cambiaron todos de posición, las subidas se volvieron bajadas, las bajadas subidas, lo inmóvil se animó y el silencio se volvió sonido. Juanillo, llevado por una inercia que no era suya, se precipitó por corredores en los que se desarraigaban los árboles. Todo se deshacía violentamente, en una oscuridad inestable. Volvió la mirada atrás y vio volar, como grandes pájaros torpes, las carpas, los pedazos de vehículos, las chispas; las mismas gotas de rocío, cuyos firmamentos miniaturizados había admirado minutos antes, ahora formaban torbellinos de puntos brillantes sobre el fondo negro del cielo, que parecía haberse vaciado de estrellas. Lo que vio también, y lo alarmó, fueron las tinas; provistas de ruedas, habían tomado el camino de la pendiente, en fila, y parecía como si vinieran tras él. Apuró a Juanillo. Oía el traqueteo de las rueditas de metal en la roca, y el chapoteo del agua en la que los peces se revolvían como locos. Sintió temor, él que no lo sentía nunca: pero nunca antes lo habían perseguido seres inanimados. Aunque no era una verdadera persecución. Las cosas no pensaban lo suficiente como para perseguir a nadie. Le bastó con hacerse a un lado y vio pasar, a toda velocidad, a las veinte tinas llenas de peces.

Respiró. Aprovechó para hacer un alto. Cuando la última tina ya había pasado y el ruido se perdía ladera abajo, llegaron por el mismo camino, trotando pesadamente, los dos perros ciegos. Habrían pasado de largo si no los chistaba. Se detuvieron, movieron la cabeza en todas direcciones, y al fin se echaron entre las patas de Juanillo.

Los tiros y las explosiones habían cesado. Se restablecía la calma. Aunque tenía sueño, Pepe Dueñas supo que debía seguir alejándose. Sabía por experiencia que en los casos de catástrofe, cuando parecía que toda una organización había llegado a su fin y había que empezar de nuevo, clausurando culpas y castigos, en los hechos la organización se restablecía muy pronto, demasiado pronto, y el que había escapado pensando que nadie se acordaría de él era atrapado y obligado a pagar por lo que había hecho. Alguien más ingenuo o inexperto habría creído que con el desastre sufrido en el campamento nadie se acordaría de él y darían por perdido o destruido el frasco de gel de piedra. Una ilusión peligrosa, en la que no caería.

Tomó un rumbo cualquiera (todos eran iguales para él) y viajó la noche entera. Juanillo marchaba sonámbulo, y a Pepe Dueñas sólo lo despertaban, pero todo el tiempo, los choques sordos de los perros contra los árboles. Los chillidos alarmistas de los monos los sobresaltaban a los cuatro. Había loros que hablaban dormidos; la superstición popular decía que entonces revelaban los secretos mejor guardados; no se detuvo a descifrarlos, ya alguna vez había hecho la prueba y se había rendido ante esas palabras que siempre parecían extranjeras. Por momentos avanzaba en la más completa tiniebla, y entonces sentía pasar a su alrededor bandadas de murciélagos, sedosos y precisos. Al amanecer, o un poco antes, hubo un ensordecedor concierto de los canarios rojos americanos, y luego un súbito silencio, pesado, inmóvil.

Ya con el Sol alto se detuvo a dormir un rato, y a la tarde estaba en marcha otra vez. El paisaje cambiaba, se volvía más familiar, volvía a soplar el viento. Se preguntó cuándo habría salido de la Selva Cinco; no había habido telón de helechos ni guías mágicos que lo llevaran de vuelta al mundo real. Había sido un pasaje insensible, y quizás ni siquiera un pasaje. Por lo visto, bastaba con decidirse a entrar; salir, se salía sin darse cuenta. Los perros seguían con él, siempre con su trote irregular y accidentado. Igual que antes, se distraía mirándolos, más ahora que la sombra del Negrito se les había adherido y aparecía y desaparecía, bailoteando, sobre el blanco de sus cuerpos.

En los días siguientes pasó cerca de aldeas y ciudades, pero prefirió seguir durmiendo al sereno; tenía muy incorporado lo del «brazo largo de la Ley»; ninguna precaución estaba de más. Otra vez huía. Pero ¿acaso alguna vez había dejado de hacerlo? Era el pago que le exigía su destino. Salvo que él no vivía su vida como una sola gran fuga, sino como una sucesión de pequeñas «obras de arte» del escapismo, sin un progreso visible de las primeras a las últimas. Su técnica había sido perfecta desde el comienzo. No tanto por mérito suyo como por lo que había de mecánico y fatal en la fuga.

Había notado que sus fugas se iban acelerando a partir de un comienzo lento y vacilante. Así había sido en este caso, desde los galopes locos, saltos y tropiezos de Juanillo en las tinieblas llenas de tiros y explosiones, perseguidos por tinas llenas de peces, hasta el fluido desplazamiento en línea recta, que lo llevaba de vuelta a su casa a velocidad cada vez mayor (terminaba pareciéndose a una caída). Aunque sus conocimientos musicales eran precarios, le alcanzaban para saber que con las fugas contrapuntísticas pasaba algo similar; salvo que en esas «fugas» la aceleración se debía a la suma progresiva de voces, o era una ilusión creada por esta suma. Y él siempre estaba solo. Pero uno nunca estaba del todo solo en el mundo. El pensamiento mismo ya era una compañía. Había algo subjetivo en esas soledades. Objetivamente, todos estaban huyendo de algo, y más en un país con tantos problemas como El Salvador. Más de una vez había sentido como si alguien huyera con él, en paralelo. Alguien con quien nunca se cruzaría, por la ley del paralelismo; era el prójimo, oculto en el fondo de su imaginación, al que nunca le dio una figura precisa; por momentos lo sospechaba una mujer, y entonces lo transportaban fantasías románticas; por momentos lo veía como el valor del que él despojaba al prójimo con sus robos; y a veces las dos imágenes se fundían en una sola.

Cuando la leyenda se hizo cargo de su vida, la soledad tomó la forma de la multiplicación; en la iconografía Pepe Dueñas siempre aparecía repetido, haciendo pie en la excusa de la espacialización del tiempo. El apellido en plural contribuía. Y contribuía también el cuento del avión que se dividía en tantos aviones como pasajeros llevaba, cuento que en sus correrías él les contó infinidad de veces a campesinos crédulos que después lo contaron, en versiones enriquecidas por el error y la ignorancia, no como una visión del héroe sino como una de sus hazañas.

El viaje terminó, como terminaban todos sus viajes, con una vuelta a casa. La había postergado todo lo posible, a fuerza de extravíos e inspiraciones, pero al fin los contornos de lo familiar y cotidiano se imponían.

Antes, última parada previa a la llegada, se detuvo en su castillito secreto, donde acumulaba el botín de sus robos y saqueos, lo que él llamaba sus «ahorros». No había elegido una gruta subterránea a la que se entrara por una grieta disimulada o invisible, ni un sótano con puerta trampa, ni una cámara secreta detrás de una cascada. No había creído que nada de eso fuera necesario: había levantado su escondite en lo alto de una colina, y lo había hecho vistoso, inolvidable, de cuento de hadas. Era obra suya; más que construirlo, lo armó, con palos, papeles, telas engomadas, chapas, todo lo que encontró. Con ingenio y paciencia ensambló una cosa con otra, dándole una forma en que el azar se aliaba a la fantasía, dejando poco espacio a la funcionalidad. Tampoco se molestó en ponerle cerrojo a la puerta, porque nadie pensaría que a ese monumento bizarro y colorido se pudiera entrar. Y sin embargo se podía, y adentro había lugar suficiente para seguir guardando cosas.

En las andanzas de Pepe Dueñas prevalecía la improvisación, y un cierto descuido, un «qué me importa», que le permitía seguir adelante en todas las circunstancias, dejarlas todas atrás, en la confianza de que las siguientes también tendrían premio. Su depósito, el interior secreto, inconcebible para el mundo, de su castillito, era una colección de objetos extraños, un museo memorial, una colección sin más tema que el hecho de haberse apoderado de cada cosa, cada una un recordatorio de algún episodio de su vida. En esta ocasión agregó el frasco de gel de piedra y los dos perros ciegos. Seguiría habiendo adiciones mientras él viviera. Siempre había algo más que robar, porque la humanidad no cesaba de crear valores, y encarnarlos en objetos, a los que cuidaba poco y mal, prácticamente los dejaba a merced del que quisiera tomarlos. Sus correrías, las famosas aventuras de Pepe Dueñas, eran en el fondo la travesía por los puntos salientes de la transformación de las ideas en cosas. Las cosas le salían al paso, y él las tomaba. ¿Qué más iba a hacer? Lo necesitaba, porque no tenía otro medio de vida. Es cierto que no era codicioso, y no tenía por objetivo hacerse rico: sólo pretendía vivir tranquilo, y para eso, fríamente pensado, no se precisaba mucho.

Pero su personalidad, y quizás también su historia, le impedían pensarlo fríamente, y aunque sabía que con lo que tenía, y aun con menos, podía ser feliz, igual lo perseguía la inquietud, la insatisfacción, el desaliento. Su pensamiento chocaba contra un muro; no podía siquiera concebir una solución, un desenlace. Lo único que se le ocurría era tener otra vida, no la que tenía; pero era una idea impráctica, que no llevaba a ninguna parte. Si fuera otro no necesitaría hacer ningún cambio en su vida, pero tampoco habría habido cambio, y en el fondo lo único que él quería era un cambio.

Con alguna medida de injusticia, culpaba a su matrimonio. Pero ahí recaía en la misma contradicción, ya que la alternativa lo expulsaba a mundos paralelos con los que no podía contar. El matrimonio era el centro de su vida, y no sólo porque su leyenda hubiera nacido con su boda. El matrimonio era su realidad. Y la realidad era intratable, como a veces, en sus momentos pesimistas, encontraba intratable a Neblinosa. Era esa cualidad de real de ella lo que la hacía impredecible, enigmática, irracional. De un momento a otro, sin transición ni explicación, podía estar alegre o triste, complaciente o agresiva. El cambio siempre era instantáneo, y a veces, para la infinita perplejidad de su marido, los dos estados contradictorios ocupaban un mismo momento. Su belleza, el lujo de su presencia, todo lo que lo había seducido en ella, se multiplicaba en opuestos, perdía consistencia, se disgregaba. Sentía que lo estacionaba en un presente sin perspectivas, un presente fragmentado en instantes que lo arrastraban de uno a otro, aplastado contra una lámina invisible de tiempo sin tiempo. Si pudiera dar un paso atrás y considerar su vida como un todo... Si pudiera pesar lo bueno y lo malo de su matrimonio... Sospechaba que ganaría el lado oscuro de Neblinosa, su mal carácter, su violencia, sus celos. Ella reconocía en él al hombre que la había salvado de un padre despótico y una existencia sin objeto. Con él había conocido el amor, sentimiento que ponía por encima de cualquier otra cosa. Todo eso lo admitía, como admitía la seguridad que le daba la presencia de su hombre a su lado... lo que constituía una tácita admisión de su propia inestabilidad. Y efectivamente, esa gratitud podía quedar olvidada en un instante, aniquilada por un arranque nervioso, una pasión súbita, o por la mera obstinación. Algunos de sus caprichos habían hecho historia en la casa, como el del aya. Decía no extrañar el mundo de la alta sociedad en el que se había criado, pero persistía en sus hábitos, y no habría podido vivir sin un aya. De modo que obligó a Pepe Dueñas a convivir con una durante años, y lo peor fue que el aya era una tortuga. Era muy de Neblinosa, haber elegido un animal en lugar de un aya humana. Y ya que era un animal, podría haber sido uno gracioso, elegante, cariñoso, uno con el que hubiera podido hablar y encontrar el compañerismo y el consuelo que decía, en sus momentos malos, no poder encontrar en su marido ausente. La tortuga, inexpresiva, acorazada, indiferente, no servía para nada que no fuera esconder la cabeza dentro de su caparazón y quedarse quieta días enteros, en el medio de un pasillo o en un umbral, porque siempre elegía el sitio donde estorbara más. Irradiaba malas ondas. Y llegado el momento de crisis económica, cuando el hogar debió ajustarse y reducirse, no vaciló en abandonar a su ama, buscando fríamente su propio beneficio, dando prueba de que carecía realmente de los sentimientos que nunca había mostrado.

Esa traición amargó más a Neblinosa, hizo más difícil la convivencia. Pero él seguía a su lado, y no se explicaba bien por qué. Era curioso que para un hombre de acción como Pepe Dueñas, práctico, brutal, una «fuerza de la Naturaleza», se le planteara un problema de índole psicológica, casi podría decirse: sentimental, en todo caso sutil, casuística. No era un problema más porque su relación con Neblinosa era el meollo de su vida, al que volvía siempre. La quería, le gustaba... pero no le convenía. O viceversa. O una cosa, o su opuesto, aunque eran contradictorias y excluyentes: había una verdadera sutileza paradojal en el caso. A él le gustaban las mujeres sólidas, que pudieran abrazarse y tocarse y penetrarse y todo lo demás. Su natural sensual y apasionado de hombre en permanente contacto con las esferas animales pedía esa clase de relación. Y podría haber satisfecho esa comprensible apetencia con cualquier mujer. Rara habría sido la que no se entregara al famoso Pepe Dueñas... Cualquiera de esas salvadoreñas morenas de piel lustrosa, pechos redondos, caderas grandes, perfectas máquinas de dar placer. ¿Qué tenía que hacer él, justo él, con la que debía de ser la única mujer impalpable del mundo, o al menos del país? Pero al mismo tiempo, él había tenido una historia con Neblinosa, y había sido (seguía siendo) una historia de amor. Era otra contradicción en esa dialéctica que lo estaba matando de a poco: la historia se imponía al presente y lo dominaba, pero la mujer que era el objeto de esa historia le imponía a él un presente que anulaba la historia, pasada y futura.

Ahora bien, esas jóvenes salvadoreñas que seguramente se entregarían a él... ¿era tan seguro que lo harían? Quizás estaba abusando de su autoestima. Porque ellas podían admirarlo, y hasta desearlo, pero de ahí a entregarse... Esas «máquinas de dar placer» también tenían cerebro, y un mínimo de sentido común les haría preferir a los jóvenes de sus aldeas, jóvenes sin prestigio, brutos, salvajes, pobres, pero al menos parte de la realidad de ellas. La vida errante, aventurera, legendaria, de Pepe Dueñas, era su Activo, pero también su Pasivo. Su ventaja relativa, le jugaba en contra.

Aun con estos argumentos razonables, no llegaba a convencerse. Su parte animal no lo aceptaba. Con tantas mujeres como había, y la escasez de hombres que producía la guerra, ¿cómo no iba a haber otra para él, además de Neblinosa?

Ella se le había dado por entero, sin condiciones, sin pedir nada, y desde entonces Pepe Dueñas tenía incrustada en la mente la idea de que si se entregaba a él la más bella, la princesa incomparable, si por él aceptaba llevar al lecho conyugal el gran hechizo que tenía bajo su poder a El Salvador, ¿qué no harían las demás? Su éxito con Neblinosa lo había envalentonado de manera definitiva. Porque sumada a la belleza y el linaje, estaba la edad: Neblinosa era veintiún años menor que él. Había estado en pleno esplendor de su juventud cuando eligió, de todos los hombres, a uno que ya entraba en su segunda madurez. ¿Cómo no iba a envalentonarse? Pero quizás era un espejismo narcisista y nada más. La diferencia de edad se mantenía, por supuesto, pero la esposa que seguía a su lado ya no era tan joven. Y él había empezado a fantasear con mujeres doscientos o trescientos años más jóvenes que él.

Si era un espejismo, resultaba extraño que no lo reconociera como tal. Ya debería haberse acostumbrado a los espejismos. Su vida era uno. Quizás no toda su vida, pero sí una parte importante: su pasado, su juventud. Sabía que había sido joven, como todo el mundo, y recordaba bastante bien aquellos años. Pero los recordaba como se veía un espejismo, al que por más claro que se lo viera nunca se llegaba, y si se llegaba se disolvía... Eso le pasaba por no aceptar el paso de los años. Él nunca decía «mi juventud»; decía «mi vida». Cuando Neblinosa leyó que su marido había robado un frasco de gel de piedra, actualizó un viejo reclamo, que Pepe Dueñas creía olvidado. Ella era de las que no olvidan nada; este asunto había quedado latente, y al reavivarlo le puso una urgencia suprema, como si le fuera la vida. No tardó en volverse insoportable. Pepe Dueñas comprendió que no le serviría de nada hacerse el sordo; pero creía tener argumentos para resistir. Era algo demasiado descabellado, hasta para ella.

Todo había empezado en la primera visita que hizo Neblinosa al reconstruido Palacio de las Ciencias. Volvió quejándose de que el busto de su padre, que presidía el hall de entrada, no lo representaba cabalmente. Pepe Dueñas tuvo que reprimir la risa. Hizo bien en reprimirla, porque ella se lo tomaba en serio, y más en serio a medida que pasaron los días y la idea empezó a trabajarla. Era esa clase de mujeres que no dejaban caer los temas por más que no encontraran eco en sus interlocutores. Tenía una marcada tendencia a la obsesión, que no habría hecho esperar su naturaleza gaseosa, físicamente dispersiva. Una pequeña cosa que sentía irresuelta o no respondida bastaba para hacerle perder el sueño. Y siempre encontraba razones para sostener su preocupación, o magnificarla. En este caso, se conjugaban ostensiblemente el sentimiento filial con el patriótico. Si su marido hubiera estado menos habituado a su contradictorio modo de pensar, habría tenido motivos para asombrarse. Por lo visto, Neblinosa había perdonado, o había olvidado, la tiranía paterna, así como el nefasto papel que había jugado el científico devenido político en los hechos que enlutaron a El Salvador. De hecho, su matrimonio con Pepe Dueñas se basaba en la rebelión contra el padre. ¿Se había olvidado de eso también?

Neblinosa debió de incubar la idea durante largo tiempo sin atreverse a proponerla en voz alta. Hasta ella se imponía límites, o sabía cuándo estaba pasándose del límite. Quizás fue otra cosa lo que la contuvo: precisamente por excesiva, la hazaña que le quería pedir a su marido habría implicado un reconocimiento de los poderes legendarios de éste que ella no se cansaba de negar con gruesos sarcasmos.

Sea como fuera, el gel de piedra la decidió. Venía tan a punto, creía, que no se contuvo más. Hizo el planteo la misma noche del regreso de Pepe Dueñas. No se demoró mucho en prólogos, más allá de recordarle cuánto la había herido ver a su padre desfigurado en ese busto, y qué espina clavada en su corazón era saber que seguía allí a la vista de cada visitante, nativo o turista. Sin más, propuso su plan: introducirse una noche, con cincel y martillo, al Palacio de las Ciencias, y hacerle a la efigie las reformas que fueran necesarias para que se pareciera más al hombre que había sido en vida.

Se extendió un poco, pero Pepe Dueñas ya había llegado al colmo del estupor. Cuando ella calló, y él recuperó el uso de la palabra, no encontró argumentos suficientes para expresar lo absurda e irrealizable, además de inútil, que le parecía la empresa. Fue un error, del que nunca se arrepintió lo suficiente. Debería haber dicho que lo pensaría, y darle largas. Manifestar una abierta oposición sólo sirvió para exacerbarla, y se inició uno de esos períodos negros de la pareja, que alternaban malhumor, silencio, llantos, y recriminaciones. Tan insoportable se hizo la situación que él terminó por ceder, aun a sabiendas de que se metía en un callejón sin salida. Su tono al decir que lo haría era el de quien dice que va a ir a la Luna sólo para complacer al que se lo pide, y sólo para demostrarle que es imposible. Creía que a medida que fueran encontrando los obstáculos insalvables que se presentarían, ella no tendría más remedio que renunciar. Pero no fue así. Al contrario. Los obstáculos sólo servían para que su esposa sacara a relucir las renombradas hazañas que lo habían hecho famoso. Cada dificultad que él planteaba tenía su equivalente entre las dificultades superadas en alguna de las muchas aventuras del bandolero tan celebrado por el pueblo salvadoreño. Si lo había hecho por otros, o por su propia vanidad, ¿por qué no podía hacerlo por ella? Pepe Dueñas contenía el deseo de señalar que esto no era tanto por ella como por su padre, o por la memoria de su padre, y arriesgar el pellejo por un viejo canalla como su suegro era algo por completo al margen de sus deberes maritales.

En estas discusiones Neblinosa mostraba un conocimiento acabado de las aventuras de su marido, de las que antes siempre había exhibido una desdeñosa ignorancia. Ahora resultaba que se las sabía de memoria, mejor que él mismo. Si él decía que no había modo de introducirse en el Palacio de las Ciencias sin llamar la atención, ella replicaba:

—¿Acaso no te metiste en la Cinemateca Secreta del Estado?

—¿Cuándo fue eso?

—Cuando robaste las películas presidenciales. No finjas olvidos conmigo.

—¿Qué películas? Te juro que no me acuerdo.

Ella le clavaba la vista, en un silencio amenazante. Él mentía, vacilante:

—Ah, sí, ya recuerdo... —Y en ese momento recordaba de verdad, y se maravillaba de la precisión con que su esposa había elegido el caso, pues introducirse en aquella Cinemateca había sido dificilísimo.

Si la objeción apuntaba al peso de un busto macizo y el problema de moverlo y manipularlo:

—Pero la Copa de Bronce que robaste del Parque Central pesaba cien veces más, y te las arreglaste para llevarla a la terraza de la Torre Telefónica, ¿no?

—¿Yo hice eso? ¿Qué Copa?

—Tu seudo amnesia no funciona conmigo, ¡caradura! ¡La Copa Conmemorativa, donde te bañabas cuando eras chico!

—¡La Copa! ¡Claro, la vieja Copa…! ¿Podés creer que no tenía el menor recuerdo? Qué raro, olvidarse de algo que en su momento fue tan importante… —El episodio le volvía, y con él algunas de sus consecuencias—. Pero ¡ojo! Tené en cuenta que después se descubrió que era bronce falso…

Ya mientras lo decía se daba cuenta de que era un mal argumento; y ella no lo dejó pasar:

—¡Porque era de hierro, y pesaba más!

—Es verdad.

No ganaba nunca. Al fin, se decidió a hacerlo, ya no de la boca para afuera sino tomándoselo realmente como una tarea. No se le escapaba que como hazaña era bastante ridícula, sin justificación social o heroica, una frivolidad, y ni siquiera frívola, en beneficio de un viejo personero de la derecha oligárquica; y además, al hacerla por presión de su esposa y sin otra motivación que mantener la paz conyugal, no faltaría quien lo tachara de pollerudo y le preguntara quién llevaba los pantalones en su casa.

Aunque por otro lado la misión, por gratuita y rara, tenía un regusto surrealista que podía aportar un condimento todavía ausente a su reputación. Desde hacía tiempo había venido sintiendo que sus andanzas se estaban confinando a un ámbito costumbrista y ramplón, demasiado fácil de interpretar.

Al iniciar la planificación encontró que los obstáculos que había enumerado como argumentos disuasivos eran todos reales, y la realidad, para alguien que había operado siempre con elementos de fantasía, era un obstáculo que a primera vista parecía insalvable. Le bastaba ponerse a pensar en el tema, a examinarlo en detalle, para sentir un invencible desaliento. Se paralizaba. No entendía por qué esta misión se le resistía tanto, cuando había hecho cosas más difíciles. Lo entendió un poco más al caer en la cuenta de que era la primera vez que estaba tratando de planificar una aventura. Todas las anteriores, las que crearon su fama y le dieron a su nombre un color de eficacia mágica e invencible, habían sido improvisadas, producto del azar y armadas con las piezas que aportaba el momento y el lugar; la realidad entonces se ponía de su parte, era ella la que aportaba las soluciones, sin necesidad de haber pensado nada. Ahora no sólo estaba pensando sino que estaba tratando de hacer el relato antes de que sucediera (eso era la planificación); en sus aventuras, el relato siempre había venido después, y por sorpresa.

¿Sería un error, lo que estaba haciendo, o iniciaba una nueva etapa en su profesión, un «estilo tardío», más razonado, menos intuitivo? Sea como fuera, no había alternativa, porque no podía lanzarse sin más, una noche cualquiera, al Palacio de las Ciencias, a robar el condenado busto... Era mucho más complicado. Por lo pronto, no se trataba de robar nada sino de efectuar las modificaciones que quería Neblinosa, y hacerlo todo sin ser notado... Había que coordinar acciones; no servía la mera sucesión, hacer una cosa después de otra, como era el curso natural de las aventuras, sino conseguir que se hicieran todas a la vez, y armónicamente.

Pero, curiosa paradoja, era preciso planearlas una por una, en la debida sucesión convencional. Pepe Dueñas hacía listas, las pensaba, las revisaba, según su humor pasaba velozmente por todos los ítems o se detenía en uno un día entero. Poniéndose realista, debía reconocer que cada paso era insuperable. Sin ir más lejos, el primero: cómo entrar. El Palacio de las Ciencias se había vuelto uno de los sitios más inexpugnables del país. En este primer obstáculo encontraba algo de justicia poética, si bien justicia en contra. Pues él era el responsable del aumento exponencial de la seguridad. La reconstrucción del Palacio de las Ciencias, después del incendio, se había hecho con un crédito de organismos internacionales; éstos, engañados por el nombre, y por la repercusión pública del siniestro, habían asignado una suma colosal. ¿Cómo iban a saber, si nadie se lo decía, que «Palacio de las Ciencias» era el nombre entre irónico y falaz que le había puesto un político oportunista a la construcción precaria levantada para encerrar a su hija? ¿Y que la Ciencia no participaba más que como fachada de actividades mucho más interesadas? ¿O que la repercusión pública no se debía a la pérdida de una valiosa institución cultural sino al lanzamiento de la carrera de un fugitivo célebre en los folletines y la tradición oral? De esos malentendidos estaba hecha la vida de los pueblos.

El antecedente del incendio le dio al Estado la excusa para emplear buena parte del presupuesto en instalar costosas alarmas y sensores de última generación, así como en blindar el edificio por los cuatro costados, mucho más de lo que habría sido necesario para un museo de ciencias naturales. El propósito real era utilizarlo como depósito de los archivos secretos de la guerra, donde estaban documentados todos los crímenes cometidos, papeles y fotos que el gobierno prefería, por motivos oscuros, no destruir, pese a que sus miembros quedaban seriamente inculpados por ellos. Debían de considerarlo una especie de seguro mutuo contra traición, aceptado como pacto de terror entre caballeros.

Un estudio concienzudo de la situación convenció a Pepe Dueñas de que era necesario apoderarse de los planos del edificio, y los diagramas de sus sistemas electrónicos de vigilancia. Sospechaba que no entendería nada, pero no tenía más remedio que empezar por ahí. De modo que se dio a la tarea de idear un disfraz de estudioso de la arquitectura moderna, con el discurso correspondiente, para tener acceso a la Biblioteca del Colegio de Arquitectos. Se preguntó si cada paso del plan lo obligaría a retroceder a un plan anterior, y éste a otro anterior, en el consabido infinito en el que se pierden los que quieren hacer las cosas bien.

La respuesta (afirmativa) a esa pregunta la tuvo muy pronto. Se ocupaba simultáneamente de las distintas etapas de la operación, para asegurarse de que no quedara en medio algún punto oscuro. Una de estas etapas eran las modificaciones que habría que hacerle al busto. Neblinosa era vaga al respecto. Decía saber exactamente lo que había que hacer, pero no podía ponerlo en palabras. Un parecido, un parecido profundo, el reflejo de un alma en un cuerpo, decía, no podía salir de una lista de instrucciones. No era cuestión de estirar un centímetro aquí, o reducir un volumen allá, o dilatar arriba y comprimir abajo. Eran pequeños toques, delicadezas impalpables que sólo una mirada amorosa y comprometida podía evaluar. De modo que ella debería estar presente cuando se hicieran las modificaciones, dirigiéndolas.

Pero ¿quién las haría? Neblinosa había dado por sentado que lo haría ella misma, aunque sin pararse a pensar en el modo de hacerlo. Por lo visto había imaginado que bastaba con la mirada. Cuando su marido la confrontó con el problema, ella, después de algunas vacilaciones, sacó a relucir el gel de piedra; quizás, sugería, aplicándolo en parches, con un gotero, y alisándolo con guantes… Pepe Dueñas soltó la risa. El gel de piedra no era una sustancia, como la masilla o el engrudo; era una fórmula, que puesta a activar un compresor podía cerrar heridas tectónicas grandes como planetas. ¿Qué se había creído, esta ama de casa metida a aventurera? ¿Que un forajido de la prominencia de Pepe Dueñas se iba a molestar en robar una cola para hacer artesanías? Una vez descartado el gel de piedra, hubo que ponerse en serio a planificar el tallado del busto. Neblinosa tuvo que reconocer que no sabía de qué material estaba hecho. Todo indicaba que tenía que ser de mármol. Ninguno de los dos tenía una idea clara de cómo se trabajaba el mármol; y aunque la tuvieran no bastaría para hacer el trabajo, que por sus características tendría que ser fino, perfecto, no dejar huellas.

—Necesitamos un profesional —concluyó Pepe Dueñas.

Pero ¿de dónde sacar un escultor, y uno que supiera su oficio? Nada les era tan ajeno como el mundo de las artes. Sabían de talladores populares, de los que hacían esos feos muñecos para vender a los turistas, pero no servían para este propósito. Más prometedores parecían los marmolistas de los cementerios, y ya casi se habían decidido a probar por ese lado, pese a lo deprimente que les resultaba, cuando recordaron la existencia de un escultor, que se había hecho famoso más por su biografía accidentada que por su obra, pero que se había formado en Europa, en un exigente academicismo que lo hacía ideal para el trabajo. El matrimonio vaciló ante la idea, con un principio de vértigo. Para empezar, no podían poner las manos en el fuego respecto de la existencia real del personaje. Era una de las leyendas salvadoreñas, y su cronología era dudosa. Pero después de todo, Pepe Dueñas también era una leyenda popular, y era él, en este caso, el que imponía la norma de realidad. Sólo se trataba de encontrarlo, y a esa tarea se dedicó, consultando guías telefónicas y viejos tomos desvencijados del *Who's Who*. Una vez localizado, se planteaba el problema de hacerlo colaborar. Partió en su busca, decidido a traerlo por las buenas o las malas. Viajando sin equipaje, fue en ómnibus hasta el pueblo más cercano a su destino, al que se hizo llevar en taxi. Llegó a media tarde. Era domingo. Tuvo que esperar a que el dueño de casa se levantara de la siesta, pero no fue tiempo perdido porque recorrió las instalaciones, conversó con el personal, y se puso al tanto de las circunstancias. La conclusión que sacó de este primer examen fue que debería enfrentarse con alguien que había superado los problemas económicos inherentes a la actividad artística, por lo que el argumento del dinero no serviría.

El escultor vivía en medio de la selva, en una gran casa modernista, rodeada de construcciones que formaban un complejo de talleres, depósitos, garajes, todo comunicado por puentes sobre los brazos de un lago artificial. Muchas de las características inusuales de esta edificación, sus curvas y ángulos prominentes, sus formas irregulares, se debían al propósito de respetar el emplazamiento original de los árboles; la intención había sido, por lo visto, construir en la selva, sin abrir un claro. Lo deliberado de esta intención quedaba subrayado porque a un lado se abría un claro natural, vacío salvo por las casas de los empleados, todas ellas cubos blancos de cemento, formando un pueblito con sus calles, plaza, iglesia.

La entrevista, que tuvo lugar en una terraza sobre la que avanzaban las copas de los árboles, fue bastante cordial. Pepe Dueñas se dio a conocer sin subterfugios. Había decidido que de lo que tenía para ofrecer, lo más valioso era su prestigio sulfúrico de criminal con sesenta y cinco condenas a muerte pendientes. Su interlocutor conocía el nombre, pero no pareció especialmente impresionado. Era un hombre más bien bajo, macizo, con cara de turco, ya cruzados los umbrales de la vejez pero sano y vigoroso; llamaba la atención lo preciso de sus movimientos, como si todos hubieran sido pensados y sopesados mucho tiempo atrás, y obedecieran a un protocolo sin fallas.

El canto de los pájaros sugirió un rodeo por temas generales (pero no tan generales), antes de entrar en materia. El visitante elogió la instalación: debía de ser muy cómodo trabajar allí, en ese «aislamiento bien acompañado», en pleno goce de una naturaleza que por su parte exhibía un «salvajismo domesticado». El escultor le agradeció la observación y le dijo que, efectivamente, el aislamiento era una bendición. Y no se refería de modo exclusivo a la soledad propicia al trabajo creador, o intelectual en general, sino a la vida en su conjunto. Aislarse era la única posibilidad de salvación del hombre.

—Sin embargo —arriesgó su interlocutor—, dicen que el hombre es un animal social.

—Es posible que lo sea, señor, pero para su desgracia. Le aclaro que mi opinión se basa en la experiencia, y la experiencia razonada, que es la única que cuenta. ¿Usted sabe lo que pasa en las cárceles? ¿Sabe a qué grado se manifiesta allí el contagio moral? El preso que entra con algo rescatable en su personalidad lo pierde pronto por la compañía; un delincuente ocasional (y conste que ocasionalmente todos somos delincuentes), se vuelve criminal definitivo por mimetismo con los amiguitos que hace tras las rejas. Lo mismo pasa en los manicomios: la menor chispa de cordura que lleve un paciente al ingresar se extinguirá por la influencia perniciosa de los locos entre los que tendrá que vivir. Esos ejemplos bastan. La sociedad en general es el modelo de toda cárcel y manicomio posibles, y su acción sobre el individuo es la misma. ¿Por qué iba a ser distinta?

Era una pregunta retórica, que Pepe Dueñas no se tomó el trabajo de responder. El nihilismo del escultor hería sus fibras sensibles de antisocial incorregible. Prefirió volver al tema de la casa. El escultor le dijo que le había llevado años hacer realidad la idea, pero consideraba que había valido la pena; más aun, creía que había logrado en la casa y anexos, todo hecho según un proyecto propio, su mejor obra. La arquitectura, para él, no era sino una rama de la escultura.

—Lo importante —dijo Pepe Dueñas— es vivir cómodo y a gusto.

—Sabias palabras, caballero.

—No todos son tan privilegiados.

—¡Si lo sabré yo! Mi vida de refugiado, de artista pobre, me hizo sensible a la cuestión social. Y ahora que la prosperidad ha llegado a mí, no lo olvido.

—En mi caso, al vivir fuera de la ley, la prosperidad ha sido una estrella fugaz. No puedo aspirar a nada definitivo, y ya me he resignado. No debo olvidar que yo represento, para el imaginario popular, los sueños de riqueza, siempre disipándose en una nubecilla transparente.

Así siguieron un rato. El escultor, filosófico, bebía su whisky. Pepe Dueñas lo veía tan gran señor, tan desasido de lo mundano y de su propia vida, que de pronto tuvo una duda. ¿Seguiría esculpiendo? Si había abandonado el oficio, y perdido la mano, todo el trámite se volvía inútil. Se lo preguntó.

¡Por supuesto que seguía trabajando! Y más que nunca. ¡Bueno fuera, parar la producción justo en el momento en que su obra se vendía a cifras millonarias! Aclaró que no lo movía el interés personal: el grueso de sus ganancias iba a parar a una ONG para el mejoramiento de las condiciones de vida en cárceles y manicomios. Y además, seguía esculpiendo por la simple razón de que lo hacía cada vez mejor. Podía parecer vanidoso que él lo dijera, pero en realidad era el único que podía decirlo. La escultura tenía mucho de oficio manual, ponía en juego una relación íntima del cuerpo con la materia, y los progresos en este oficio se apreciaban en los músculos, en los tendones, en las articulaciones, la maestría era secreta, hecha de sensaciones difícilmente comunicables.

Se quedó pensativo un momento, y agregó que existía el peligro de engolosinarse con esos placeres excesivamente privados, y derivar a un rococó autocomplaciente...

—¡... y entonces las hienas empiezan a hablar de decadencia!

—Creo que yo estoy en un trance parecido —dijo Pepe Dueñas sin entrar en detalles.

Pero como empezaba a caer la noche, siempre presurosa en las zonas tropicales, dio fin a los prolegómenos. Le explicó someramente el plan. El escultor dio las muestras más acabadas de no haber entendido nada. Pepe Dueñas debió repetir la explicación, agregando algunos detalles, extendiéndose en las motivaciones. Igual resultado. La tercera vez no le fue mejor, aunque se esmeró más. Entonces, pensando «la tercera es la vencida», comprendió que era inútil insistir con resúmenes y sinopsis. Había estado perdiendo el tiempo por querer ganarlo, y agotando peligrosamente la paciencia de su oyente por miedo a aburrirlo. Se lo reprochó a sí mismo, sobre todo porque él sabía mejor que nadie que un relato, fuera cual fuera, había que hacerlo entero y sin resumir. Los resúmenes se basaban en la idea, correcta hasta cierto punto, de que todo el mundo podía llenar los huecos de una historia. Pero eso era condenarse a malentendidos sin fin, además de que no todos podían; el escultor era de éstos, al parecer, quizás por deformación profesional.

De modo que aspiró profundo y le hizo todo el cuento desde el principio. Para su sorpresa, le llevó menos tiempo que cualquiera de los resúmenes que había intentado antes. El escultor captó la idea.

—Le agradezco su confianza en mí, señor Dueñas, pero no hago ese tipo de trabajos. Si entendí bien, se trata de unos retoques menores, y eso puede hacerlo cualquiera de mis asistentes.

—¿Puede recomendarme uno competente?

—Poder, puedo. Pero no tengo pensado darle vacaciones a ninguno de ellos hasta dentro de seis meses.

Pepe Dueñas sintió un momentáneo desaliento. Había encarado mal la negociación al asumir la posición del cliente solicitando los servicios del profesional, lo que lo ponía a merced de las condiciones que éste quisiera imponer. No era así como lo había imaginado. «Debí secuestrarlo sin más», pensó, y con eso se tranquilizó: había tiempo para recurrir a la fuerza. Mientras tanto, podía apelar a otros recursos, por ejemplo el halago, al que los artistas son tan vulnerables.

—Sucede que esos «retoques», como usted los llama, ¡son cosa seria! Sólo un artista, y de los buenos, podrá ejecutar esas modificaciones sutiles que tiene en mente mi esposa. Es cuestión de interpretar algo que está más allá de las palabras, y transformar en consecuencia... Se necesita esa conjunción rara, que no se da sino en el genio maduro, del artista visionario y el artesano de precisión, para producir en el mármol la expresión precisa de una fisonomía...

—¡Pero yo soy abstracto!

—Se ve que usted no conoció a mi suegro.

El tema los llevó a la identidad del prócer del busto, a la que el escultor no había prestado atención hasta entonces. Al fin su mente hizo las asociaciones correspondientes, y cayó en la cuenta de que la mujer del hombre que tenía enfrente era Neblinosa. Por primera vez en la entrevista mostró verdadero interés. No era para menos, pues Neblinosa constituía el grial humano de un escultor abstracto, o más bien su Lámpara de Aladino. Se quedó pensativo, bastante maravillado. No podía creer que la suerte le trajera, al final de su carrera, la posibilidad de ver al fin a la mujer que siempre había creído un mito. Era como si este premio inesperado le diera un sentido a todos sus trabajos, a sus privaciones, al largo viaje... O quizás debería decir que le daba sentido a sus mentiras. Porque los trabajos y privaciones no habían sido del todo ciertos, y el largo viaje, la famosa travesía por el círculo polar ártico, no había sucedido en realidad. Él había nacido en El Salvador y nunca había salido de sus fronteras. Se había inventado extranjero para darse lustre, porque conocía el supersticioso prestigio del que gozaban a priori los europeos entre los centroamericanos, y más específicamente porque todos los grandes escultores modernos habían triunfado en países distintos a los de su nacimiento (quizás porque al ser la escultura algo tan poco portátil, el destierro les daba a sus creadores un aura épica, como si hubieran tenido que cargar sus mármoles por mares y montañas). Pero a la larga había llegado a creerse él mismo su fábula, quizás porque sentía que había pagado con creces su inocente fraude. Lo había pagado con una larga vida de penoso esfuerzo. Lo más duro había sido fingir ignorancia de la sintaxis y el vocabulario del castellano, y encima pronunciar sus errores con acento extranjero; había sido un prolongado suplicio, que lo obligó a vivir en una permanente tensión mental. Su única esperanza era saber que un extranjero poco a poco iba aprendiendo el idioma de la comunidad en la que vivía, así que se hizo el plan de ir construyendo las frases y pronunciándolas cada vez mejor, pero paulatina y metódicamente mejor. Tanto era su temor de que lo desenmascararan que fue paso a paso, muy lento (para conjugar pasablemente los verbos se tomó una década), y sólo pudo hablar como había aprendido a hacerlo en su infancia al cabo de cuarenta años. Para librar ese permanente combate contra la intuición natural tuvo que aprender gramática, y leer a escondidas toda la obra de Menéndez Pidal y de Tomás Navarro Tomás, de modo de hacer una gradación plausible. No se explicaba cómo le había quedado energía para hacer su obra artística; no dudaba que esa energía sobrante no era intelectual, pues ésta quedaba en su totalidad absorbida por la exigente simulación lingüística. Pero eso lo había beneficiado a la larga, pues al no disponer de medios intelectuales para la escultura, la hizo a golpes de puro instinto animal, sin la menor intervención del pensamiento. El resultado fue una obra salvaje, incomprensible, que le iba como anillo al dedo a su leyenda de desterrado.

No hubo un solo músculo de su cara, ni una chispa en las pupilas, que revelara la impresión que le había causado oír el nombre de Neblinosa. Una vida de subterfugios interesados le había dado suficientes lecciones de disimulo. Se hizo rogar un rato más, para aceptar al fin, pero como si lo hiciera sólo por condescendencia, por hacer un favor. A partir de ahí, no hubo más dilaciones. Partieron a la mañana siguiente a primera hora, y al mediodía Neblinosa los veía llegar.

Lo tuvieron de huésped varios días, mientras se ponía a punto la logística de la operación. Pepe Dueñas tuvo tiempo de arrepentirse de su apuro en ir a buscarlo sin estar preparado para entrar en acción de inmediato, porque alojarlo les significó la mar de inconvenientes. La casa era chica, no había cuarto de huéspedes, tenía un solo baño, y la heladera no funcionaba. Este último desperfecto ya tenía su tiempo, unas tres semanas, en las que no habían cesado las quejas de Neblinosa, justificadas porque sin heladera se alteraba para mal toda la rutina de sus quehaceres; pero su marido postergaba el llamado al service por ciertos temores, éstos quizás menos justificados; se decía que todos los técnicos en reparación de electrodomésticos eran espías de la policía.

Lo hicieron dormir en un viejo sofá que había en la salita; el escultor parecía muy contento, como si reviviera sus años de pobreza. Éstos podían haber sido muy reales, pero el éxito económico los había dejado muy atrás, psicológicamente. Había adoptado hábitos de rico. Sus gustos y exigencias hacían sonar a hueco sus elogios a la vida bohemia. Hasta se permitía elogiar la casa y sus precariedades; decía que envidiaba el desdén de sus huéspedes por lo material, la simplicidad de sus vidas, en un primitivismo que tenía el sabor de los primeros días del hombre en el Edén. A él en cambio su vocación, ya de entrada, lo había encadenado a las masas voluminosas de la materia, y a despecho de sus repetidos exilios y fugas y de haberlo perdido todo una y otra vez (se ceñía a la versión oficial) siempre había vuelto a cargarse de un pesado equipaje. Con gusto cambiaría su vasta mansión en la selva, agregando su penthouse en Nueva York y su chalet en Suiza, por esta casita con la pintura descascarada, muebles rotos y techos con goteras. Lo decía con sinceridad, una sinceridad que no le costaba nada porque el discurso del que se revestía era tan abstracto como sus esculturas, pero a Pepe Dueñas lo ponía fuera de sí.

Para sacárselo de encima, aceleró los preparativos. Más que los comentarios desubicados del escultor, lo irritaba la amistad instantánea y absorbente que había hecho con Neblinosa. Mutua, por lo demás. Sensible al halago como toda mujer, ella respondía a la visible fascinación que provocaban en él las metamorfosis gaseosas de su expresión. No le sacaba los ojos de encima, y ella, tomando por interés humano lo que no era sino una delectación estética, lo hizo su confidente, le contó su vida, le expuso sus anhelos, no dejó secreto o intimidad sin revelar.

Se paseaban interminablemente, a solas, por los senderos del jardín, mañanas enteras, tardes enteras hasta caída la noche, y por la noche después de cenar no se privaban de una salida extra para admirar un detalle u otro a la luz de la Luna, o tener la ocasión de oír a un raro pájaro nocturno, la excusa menos creíble ya que el incesante parloteo de Neblinosa no era compatible con la audición de recónditos gorjeos. Pero en su lugar, como justificación de estas salidas después de hora, podían poner el vuelo de las luciérnagas y la curiosa atracción que estos insectos sentían por la cabeza de una Ceres de mármol, a la que transformaban en un farol de fría luz verdosa volando a su alrededor en cantidades incontables.

El motivo inicial de las recorridas del jardín habían sido las estatuas, y era admisible que el escultor quisiera verlas. También era admisible que su curiosidad profesional se extendiera a los topiarios, y a las fuentes, y a los atlantes de bronce que sostenían las glorietas. Neblinosa lo guiaba haciéndole la historia de las adquisiciones, y disculpándose profusamente de lo abandonadas que tenía a las plantas. A pesar de la devoción que sentía por ellas, no le daba el tiempo para hacer todos los trabajos que habrían sido necesarios. No podían pagar un jardinero, y la extensión del terreno, que cubría dieciséis hectáreas, era excesiva para una sola persona, sobre todo si era una mujer que debía hacer todos los trabajos de la casa sin ayuda. No obstante, todos los días encontraba un rato, siquiera breve, para dedicarlo a las tareas básicas de mantenimiento, como cortar el pasto, podar, abonar, transplantar, desmalezar... Aun así, era inevitable que se le pasara la fecha de una siembra, o perdiera una batalla contra las hormigas.

De las quejas por la falta de tiempo pasó a las más generales, y se desató la corriente imparable de confesiones. Aislados como vivían por temor a la Ley, no era frecuente que ella encontrara alguien en quien vaciar su corazón. Eso su marido lo comprendía, y hasta cierto punto lo agradecía, pues le aliviaba la carga de ser el interlocutor obligado. Pero no podía evitar un sentimiento que si no era exactamente de celos, se le parecía. Lo fastidiaba sobre todo que Neblinosa pareciera haberse olvidado de la misión que le había impuesto a él. No hacía ninguna mención al busto de su padre, y cuando él la hacía se mostraba molesta, casi como si el tema fuera una manía o un capricho de su marido... Pepe Dueñas apretaba los puños, furioso, pero no se atrevía a hacerle una escena. Era evidente que ella temía, con razón, que una vez realizado el plan el escultor volviera a su casa en la selva, con lo que cesarían estas conversaciones que la tenían tan encantada.

Aunque reconocía que no era elegante, más de una vez los siguió a escondidas por el parque, agazapado detrás de un arbusto o un seto (odiaba que lo sometieran a procedimientos tan poco honorables) para oír lo que decían. Se justificaba ante sí mismo con el temor de que su esposa, llevada por el entusiasmo de la charla, revelara aspectos inconvenientes de la actividad ilegal de él; excusa poco sólida, porque las andanzas de Pepe Dueñas eran del dominio público. Y de cualquier modo, lo poco que alcanzaba a oír lo convenció de que ella hablaba en el vacío, pues el escultor sólo prestaba atención a las transformaciones que se producían en los volúmenes impalpables del cuerpo y el alma de Neblinosa. Entonces desplazaba sus sentimientos, y acentuaba su antipatía por el escultor. «Es una ingenua —se decía—, pobrecita, en manos de ese viejo sátiro abstracto.»

Se concentró en la planificación, para terminar de una vez con esa comedia. Pero se le hacía difícil. Era difícil de por sí, y la defección de su esposa de los trabajos de la casa le restaba tiempo. En esos días ella no podía prescindir de sus conversaciones en el jardín, y él tenía que hacer la comida, ocuparse de los hijos adolescentes, mandarlos al colegio, hacer las camas, las compras, todo. A veces, lavando los platos o pelando papas, los veía a través de la ventana de la cocina, paseándose por las avenidas sombreadas por los árboles, deteniéndose ante una estatua, cortando una flor o sentados en un banco, y le subía la presión: tenía ganas de estrellar un plato contra la pared, o todos los platos contra todas las paredes. Sólo durante las comidas se relajaba un tanto, gracias a que Neblinosa callaba, como si hubiera decidido que sólo su invitado era digno de oír su voz. Entonces él podía conversar con el escultor, y éste, agradecido de poder hablar al fin después de pasar el día entero como oyente pasivo, se mostraba comunicativo y simpático. Aunque esa tregua no impedía que al día siguiente Pepe Dueñas volviera a desear ardientemente su partida. Esos breves momentos de calma se perdían en el marasmo de incomodidad, irritación e impaciencia en el que se estaba desarrollando su existencia cotidiana. El escaso tiempo del que disponía para preparar el golpe se conjugaba con las dificultades que encontraba en éste. Los planos de las instalaciones de seguridad del Palacio de las Ciencias, que había conseguido con esfuerzo, se le volvían jeroglíficos cuando se inclinaba sobre ellos, cansado, pesimista, con la mente en los problemas del hogar. La complejidad de esos diagramas se acentuaba por el hecho de que no había podido sustraer los originales, y se había visto obligado a copiarlos. Para no despertar sospechas lo había hecho subrepticiamente, a escondidas del bibliotecario del Colegio de Arquitectos, al que espiaba con un ojo mientras con el otro seguía las líneas de los planos y las reproducía en su libreta, esto último a ciegas porque no tenía un tercer ojo. Estas condiciones de trabajo causaron muchas desprolijidades, tachaduras y desproporciones. Copiar diagramas de circuitos electrónicos no era fácil, y mucho menos si los originales estaban dibujados en papeles grandes, de dos metros por uno (debía irlos desplegando por partes, porque no entraban enteros en la mesa de la Biblioteca), llenos de líneas hasta el último centímetro, y debía copiarlos en una pequeña libreta de bolsillo. El abigarramiento resultante se acentuaba porque trabajaba con lápiz, y la mina perdía la punta en el curso de una sesión; el trazo se hacía grueso, las líneas se confundían unas con otras, las hojas de la libreta se volvían un solo borrón gris. Al pensar que él debería introducirse en los intersticios de esa maraña sentía un desaliento infinito. Y había cientos de esos planos, uno para cada sala y cada pasillo y cada oficina, y hasta para los depósitos y los baños, los sótanos, el auditorio, la cafetería; debía copiarlos todos para estudiarlos y decidir cuál era la ruta de entrada más segura, y la de salida. Se le dormía la muñeca haciendo líneas y más líneas, le lloraban los ojos de tanto fijarlos en esos laberintos intrincados, le dolía la cabeza, la mina del lápiz ya estaba mocha y la madera raspaba el papel... Suspiraba. ¡Trabajo, trabajo, trabajo! Pero toda su vida había sido lo mismo. Parecía una condena. Se preguntaba si se terminaría alguna vez y podría descansar.

15 de septiembre de 2008

321. Mary Gaitskill, *Veronica*
322. Salvatore Niffoi, *La leyenda de Redenta Tiria*
323. Javier Calvo, *Mundo maravilloso*
324. Salvador Plascencia, *La gente de papel*
325. Philip Roth, *Deudas y dolores*
326. Susan Sontag, *Al mismo tiempo*
327. Peter Carey, *Robo*
328. F. M., *Corazón*
329. Tom Spanbauer, *Ahora es el momento*
330. Martín Kohan, *Museo de la Revolución*
331. António Lobo Antunes, *Ayer no te vi en Babilonia*
332. Rohinton Mistry, *Cuentos de Firozsha Baag*
333. Orhan Pamuk, *El castillo blanco*
334. David Foster Wallace, *Hablemos de langostas*
335. Gonçalo M. Tavares, *La máquina de Joseph Walser*
336. Chimamanda Ngozi Adichie, *Medio sol amarillo*
337. Michael Chabon, *La solución final*
338. Cormac McCarthy, *La carretera*
339. William Vollmann, *Europa central*
340. Lolita Bosch, *Hecho en México*
341. Niccolò Ammaniti, *Como Dios manda*
342. J. M. Coetzee, *Diario de un mal año*
343. Chuck Palahniuk, *Rant: la vida de un asesino*
344. Cormac McCarthy, *Meridiano de sangre*
345. António Lobo Antunes, *Conocimiento del infierno*
346. Philip Roth, *El profesor del deseo*
347. Roberto Brodsky, *Bosque quemado*
348. Orhan Pamuk, *La maleta de mi padre*
349. Vikram Chandra, *Juegos sagrados*
350. Karin Fossum, *Una mujer en tu camino*
351. Ena Lucía Portela, *Djuna y Daniel*
352. Philip Roth, *Sale el espectro*

385. Joseph Smith, *El lobo*
386. Javier Pastor, *Mate Jaque*
387. Julia Leigh, *Inquietud*
388. Salman Rushdie, *La encantadora de Florencia*
389. Salman Rushdie, *Hijos de la medianoche*
390. António Lobo Antunes, *Mi nombre es Legión*
391. Philip Roth, *Indignación*
392. César Silva, *Una isla sin mar*
393. Nathan Englander, *Ministerio de Casos Especiales*
394. J. M. Coetzee, *Tierras de poniente*
395. J. M. Coetzee, *Mecanismos internos*
396. V. S. Naipaul, *Un recodo en el río*
397. Wu Ming, *Manituana*
398. Germán Sierra, *Intente usar otras palabras*
399. Gonçalo M. Tavares, *Jerusalén*
400. Javier Cercas, *Anatomía de un instante*
401. Castle Freeman Jr., *La oreja de Murdock*
402. Rafael Gumucio, *La deuda*
403. Cormac McCarthy, *Ciudades de la llanura*
404. Miguel Barroso, *Un asunto sensible*
405. James Frey, *Una mañana radiante*
406. Benjamin Taylor, *El libro de la venganza*
407. Gabriela Wiener, *Nueve lunas*
408. Orhan Pamuk, *El museo de la inocencia*
409. Rodrigo Fresán, *El fondo del cielo*
410. Dave Eggers, *Los monstruos*
411. Jordi Soler, *La fiesta del oso*
412. Elvira Navarro, *La ciudad feliz*
413. Patricio Pron, *El mundo sin las personas que lo afean y lo arruinan*
414. Per Petterson, *Yo maldigo el río del tiempo*
415. Anne Tyler, *La brújula de Noé*